7세 자녀들의 **도형·비교·시계·규칙**을 함께할 **초능력⁺쌤**입니다.

초능력⁺쌤의 도형·비교·시계·규칙
개념 활동 동영상 강의

KB118816

도형·비교·시계·규칙을 열
이가 전혀 이해를 못해요.

걱정하지 마세요. 지금부터 초능력 쌤인 제가 7세
자녀들의 눈높이에 맞춰 도형·비교·시계·규칙 원
리를 재미있게 설명해 줄 거예요.

우리 아이가 동영상 강의에 집중하지 못하면 어
떡하죠?

7세 자녀들이 흥미를 가질 수 있도록 교구나 활
동 자료로 원리를 설명하니 걱정하지 마세요.
그리고 7세 자녀들이 집중할 수 있는 시간에 맞
게 짧고 쉽게 설명하고 있어요.

와~!

초능력 쌤~ 정말 감사합니다! 이제 우리 아이도
도형·비교·시계·규칙을 잘 할 거 같아요. ^^

📶 **7세 초능력 도형·비교·시계·규칙 무료 스마트러닝 접속 방법**

방법
1

방법
2

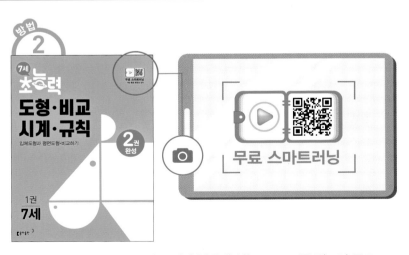

동아출판 홈페이지 www.bookdonga.com에 접속
하면 7세 초능력 도형·비교·시계·규칙 무료 동영상 강의
를 이용할 수 있습니다.

핸드폰이나 태블릿으로 **교재 표지나 본문에 있는 QR코드**를 찍으면 무료
스마트러닝에서 개념 활동 동영상 강의를 이용할 수 있습니다.

초능력⁺쌤과 키우자, 공부힘!

한글 | 글자의 짜임 강의

- 글자 카드를 활용하여 쉽고 재미있게 한글 원리 강의
- 받침과 쌍자음, 복잡한 모음이 들어간 글자 짜임 방식 완벽 이해

덧셈·뺄셈 | 개념 활동 강의

- 그림과 교구를 활용한 활동으로 덧셈·뺄셈 원리 강의
- 구체물을 활용한 짧고 쉬운 설명으로 덧셈·뺄셈 문제 완벽 이해

유아 독해 | 비디오북

- 생활 글 전 지문, 동화 전체 수록 작품 비디오북 제공
- 비디오북을 보며 글에 집중하여 따라 읽고 독해력 향상

도형·비교·시계·규칙 | 개념 활동 강의

- 그림과 교구를 활용한 활동으로 도형·비교·시계·규칙 원리 강의
- 구체물을 활용한 짧고 쉬운 설명으로 도형·비교·시계·규칙 문제 완벽 이해

놀이 한자 | 한자 챈트

- 그림으로 상형 문자인 기초 한자를 생생하게 이해
- 한자의 모양·뜻·소리를 동시에 효과적으로 학습

엄마랑 둘이 학습하는 **한글 쓰기 / 창의력·집중력**

- **한글 쓰기** 실생활에서 많이 쓰이는 132개 낱말의 짜임과 순서를 자세하고 쉽게 이해
- **창의력·집중력** 7세의 창의력과 집중력을 동시에 향상시킬 수 있는 두뇌 계발 교재

의
수학책

✿ 공부한 날에 맞게 날짜를
쓰고 결과에 맞게 색칠하세요.

일차	공부한 날	😆	😵
1일	/	◯	◯
2일	/	◯	◯
3일	/	◯	◯
4일	/	◯	◯
5일	/	◯	◯
6일	/	◯	◯
7일	/	◯	◯
8일	/	◯	◯
9일	/	◯	◯
10일	/	◯	◯
11일	/	◯	◯
12일	/	◯	◯
13일	/	◯	◯
14일	/	◯	◯
15일	/	◯	◯
16일	/	◯	◯
17일	/	◯	◯
18일	/	◯	◯
19일	/	◯	◯
20일	/	◯	◯

일차	공부한 날	😆	😵
21일	/	◯	◯
22일	/	◯	◯
23일	/	◯	◯
24일	/	◯	◯
25일	/	◯	◯
26일	/	◯	◯
27일	/	◯	◯
28일	/	◯	◯
29일	/	◯	◯
30일	/	◯	◯
31일	/	◯	◯
32일	/	◯	◯
33일	/	◯	◯
34일	/	◯	◯
35일	/	◯	◯
36일	/	◯	◯
37일	/	◯	◯
38일	/	◯	◯
39일	/	◯	◯
40일	/	◯	◯

※ 모양 따라 오린 후 반으로 접어서 책갈피로 활용하세요!

공부가 쉬워지는 준비물

가위를 사용해 선을 따라 잘라서 활용해요.

(준비물 1) 펜토미노

50쪽

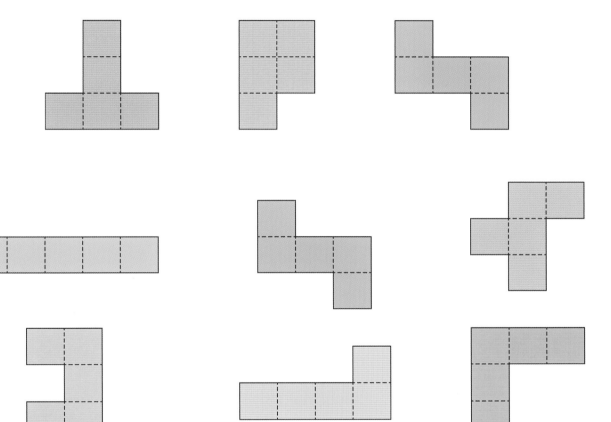

51쪽

(준비물 2) 칠교판

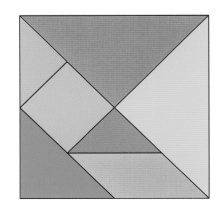
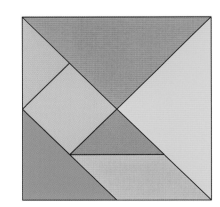

7세

초능력

도형·비교
시계·규칙

입체도형과 평면도형·비교하기

1권

7세

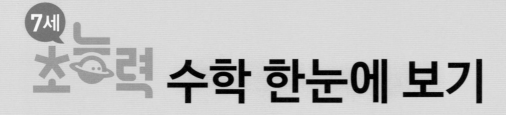

수학 한눈에 보기

덧셈·뺄셈

초등학교 수학의 기초인 연산을 위해 필수적인 것으로만 구성한 덧셈·뺄셈입니다. 받아올림/받아내림으로 구분하여 단계적으로 접근할 수 있습니다.

도형·비교·시계·규칙

초등학교 1학년에서 배우는 입체도형/평면도형의 여러 가지 모양과 크기, 길이, 무게 등의 비교에 대해 알아보고, 일상생활에서도 중요한 시계 보기와 규칙에 대해 연습할 수 있습니다.

그림과 질문으로 호기심을 유발해요

아이들에게 친숙한 이야기로 공부에 대한 부담감을 줄여 주고 즐겁게 시작할 수 있어요.

- **무엇을 알게 될까요?**
  여우가 포도를 올려다보는

- **언제 배우나요?**
  이번에 공부할 내용은 **초등** 지 **모양** 단원에서 배우게

- 학부모님만 보세요.
  해당 주제의 핵심 학습 내용 및 연관된 초등학교 수학 교과 단원을 알려 드려요.

그림으로 원리를 이해하고, 문제를 풀어요

그림을 살펴보는 활동을 통해 원리를 이해하고, 제시된 문제를 해결하면서 수학적 개념을 익힐 수 있어요.

- 개념 활동 강의
  QR코드를 찍으면 개념을 이해하는 데 도움이 되는 강의를 볼 수 있어요.

개념 활동 강의

- 학부모님 tip
  아이가 이해하기 쉽게 그대로 설명해 주세요.

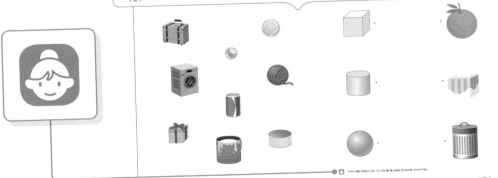

도형·비교·시계·규칙 | 차례

의
맨 처음 수학책

1 주제

입체도형과 평면도형

저기 포도가 있다!

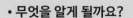

배고픈 여우가 포도를 발견했어요.
여우는 포도를 먹을 수 있을까요?

1일

위와 아래

개념 활동 강의

위에 있는 것은 무엇일까요?

여우가 포도를 따려고 해요.
포도가 위에 있어서 여우의 손이 닿지 않아요.

여우가 포도를 따려고 하는 그림에서 위에 있는 것에 ◯표 하세요.

정답 96쪽

😊 위에 있는 것에 ◯표 하세요.

😮 아래에 있는 것에 △표 하세요.

'해는 구름보다 위에 있습니다.', '자동차는 드론보다 아래에 있습니다.'와 같이 위치를 말로 표현해 볼 수 있도록 지도해 주세요.

의자의 앞, 뒤, 옆에 있는 장난감은 무엇일까요?

의자 주변에 장난감이 놓여 있어요.
의자의 앞에는 로봇이, 뒤에는 자동차가, 옆에는 인형이 있어요.

😊 의자의 앞에 있는 장난감에 ◯표 하세요.

선아의 앞, 뒤, 옆에 물건이 있습니다. 같은 위치에 있는 것끼리 선으로 연결하세요.

3일 먼 것과 가까운 것

더 멀리 있는 자동차는 무엇일까요?

두 자동차가 경주를 해요.
빨간색 자동차는 출발선에서부터 더 멀리 있고,
파란색 자동차는 출발선에서부터 더 가까이 있어요.

출발선에서부터 더 멀리 있는 자동차에 ◯표 하세요.

정답 96쪽

등대에서부터 더 멀리 있는 배에 ◯표, 더 가까이 있는 배에 △표 하세요.

겹쳐진 모양의 순서

○ 위에 있는 재료부터 순서를 알아볼까요?

맛있는 샌드위치를 만들고 있어요.
위에서부터 토마토, 치즈, 양상추, 빵 순서로 놓여 있네요.

위에 있는 재료부터 순서대로 ☐ 안에 1, 2, 3, 4를 쓰세요.

4	3	2	1

위에 있는 모양부터 순서대로 1, 2, 3을 쓰세요.

다양한 위치에서 보기

현우가 보고 있는 미끄럼틀 모습을 알아볼까요?

현우가 놀이터에서 미끄럼틀을 보고 있어요.
왼쪽엔 미끄럼틀의 내려오는 부분이 보이고,
오른쪽엔 손잡이와 계단이 있는 부분이 보일거예요.

😊 현우가 보고 있는 미끄럼틀 모습을 찾아 ◯표 하세요.

정답 97쪽

공원에 있는 조각상 사진을 찍었습니다. 친구들이 찍은 사진을 찾아 ○표 하세요.

(   )   (   )   (   )

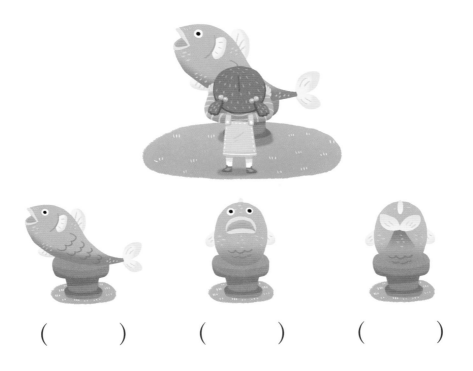

(   )   (   )   (   )

🔲 모양

개념 활동 강의

🔲 모양 물건을 모두 찾아볼까요?

🔲 모양은 상자와 비슷한 모양이에요.

휴지, 선물 상자, 국어사전은 모두 🔲 모양이에요.

👵 '🔲 모양'은 '상자 모양'이라고 읽으면서 지도할 수 있습니다. 초등학교 1학년 1학기에서는 모양을 읽는 방법은 배우지 않고 '🔲 모양'으로만 배웁니다.

 모양이 아닌 것을 찾아 ✕표 하세요.

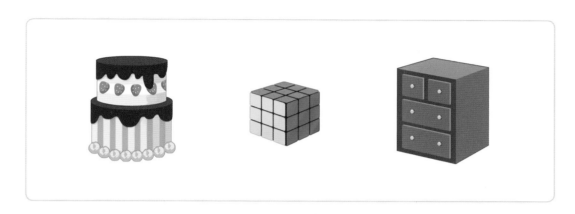

7일

모양

개념 활동 강의

○ ⬭ 모양 물건을 모두 찾아볼까요?

⬭ 모양은 ⬛ 모양과 비슷하지만 둥근 부분이 있어요.

북, 통조림 캔, 시계는 모두 ⬭ 모양이에요.

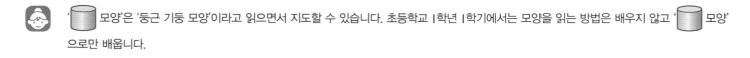

'⬭ 모양'은 '둥근 기둥 모양'이라고 읽으면서 지도할 수 있습니다. 초등학교 1학년 1학기에서는 모양을 읽는 방법은 배우지 않고 '⬭ 모양'으로만 배웁니다.

정답 98쪽

◯ ▯ 모양이 아닌 것을 찾아 ✕표 하세요.

개념 활동 강의

○ ⬤ 모양 물건을 모두 찾아볼까요?

⬤ 모양은 공과 비슷한 모양이에요.

떡, 농구공, 초콜릿은 모두 ⬤ 모양이에요.

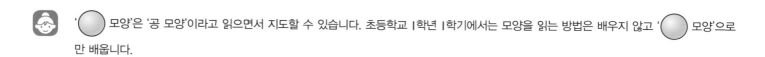

'⬤ 모양'은 '공 모양'이라고 읽으면서 지도할 수 있습니다. 초등학교 1학년 1학기에서는 모양을 읽는 방법은 배우지 않고 '⬤ 모양'으로만 배웁니다.

정답 98쪽

⬤ 모양이 아닌 것을 찾아 ✕표 하세요.

모양이 같은 물건 ①

😊 같은 모양끼리 ◯◯으로 묶어 보세요.

월   일

정답 98쪽

😊 모양이 같은 것끼리 선으로 연결하세요.

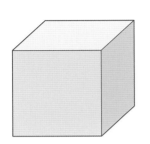

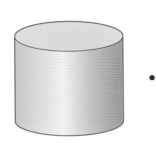

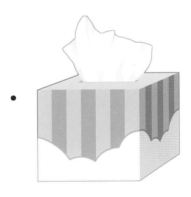

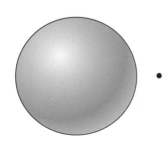

 자녀의 생활 주변에서 여러 가지 모양 물건을 실제로 찾아보도록 지도해 주세요.

돋보기로 본 모양을 보고 알맞은 모양을 찾아 선으로 연결하세요.

 ·   ·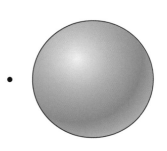

 ·   ·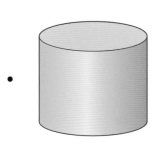

 ·   ·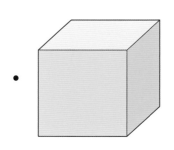

 뾰족한 부분이 보이면 모양, 평평한 부분과 둥근 부분이 보이면 ▯ 모양, 전체가 둥글면 ● 모양이에요.

정답 99쪽

○ 안의 모양을 보고 알맞은 모양을 따라가려고 합니다. 토끼네 집까지 가는 길을 찾아보세요.

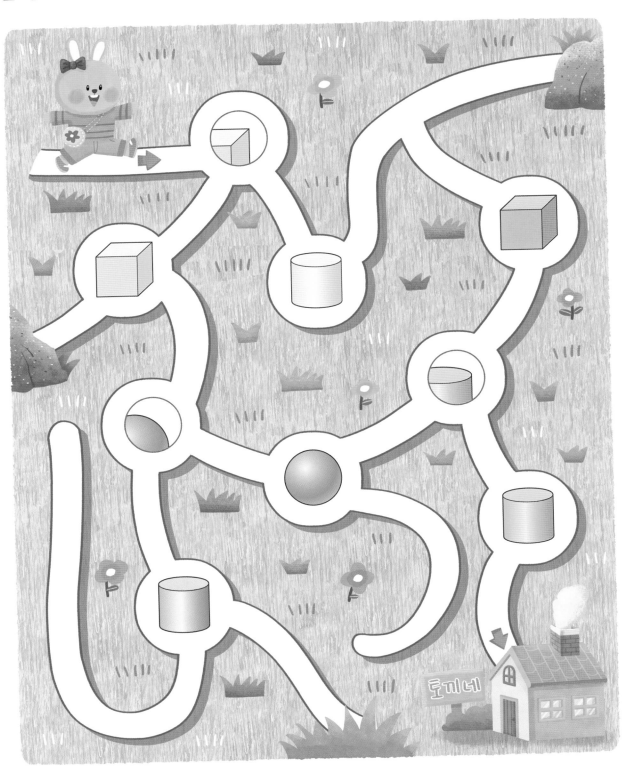

혜리가 사용한 모양을 모두 찾아볼까요?

혜리가 블록으로 시소 모양을 만들었어요.
시소의 아랫부분은 모양을, 윗부분은 모양을 사용했어요.

혜리가 사용한 모양의 개수를 각각 구하세요.

3 개		개	0 개

왼쪽 모양을 만드는 데 사용한 모양의 개수를 각각 구하세요.

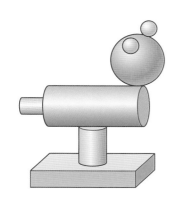

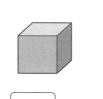 ☐개 　　 ☐개 　　 ☐개

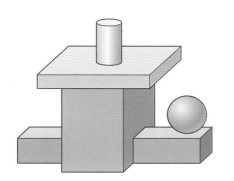

 ☐개 　　 ☐개 　　 ☐개

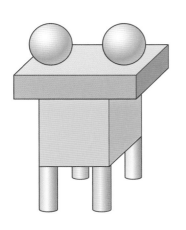

 ☐개 　　 ☐개 　　 ☐개

개념 활동 강의

○ 도장을 찍으면 어떤 모양이 나올까요?

지성이가  모양 블록의 아래쪽에 물감을 묻혀

도장 찍기 놀이를 하고 있어요.

물감을 묻힌 부분의 모양이 종이에 나오게 돼요.

😊 지성이가 찍은 도장의 모양을 찾아 ◯표 하세요.

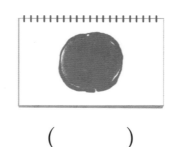

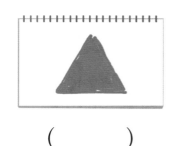

(◯)　　　　(　)　　　　(　)

정답 99쪽

😮 모양 블록의 아래쪽에 물감을 묻혀 도장을 찍었습니다. 사용한 모양 블록을 찾아 ◯표 하세요.

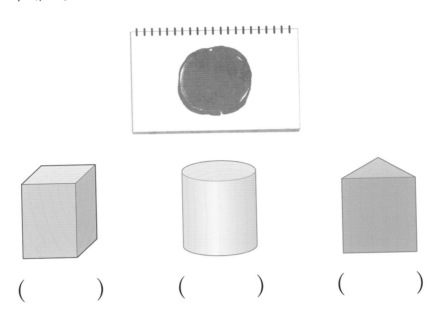

(   )   (   )   (   )

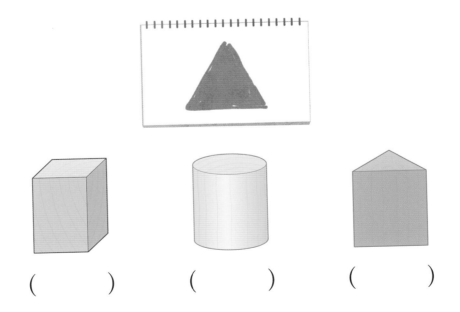

(   )   (   )   (   )

개념 활동 강의

▢ 모양을 모두 찾아볼까요?

책상 위에 여러 가지 물건이 있어요.

달력, 동화책, 자에서 ▢ 모양을 찾을 수 있어요.

'▢ 모양'은 '네모 모양'이라고 읽으면서 지도할 수 있습니다. 초등학교 1학년 2학기에서는 모양을 읽는 방법은 배우지 않고 '▢ 모양'으로만 배웁니다.

정답 100쪽

😮 ▨ 모양을 찾을 수 없는 물건에 ✕표 하세요.

개념 활동 강의

모양을 모두 찾아볼까요?

책상 위에 여러 가지 물건이 있어요.

옷걸이, 표지판, 삼각김밥에서 모양을 찾을 수 있어요.

 ' 모양'은 '세모 모양'이라고 읽으면서 지도할 수 있습니다. 초등학교 1학년 2학기에서는 모양을 읽는 방법은 배우지 않고 ' 모양'으로만 배웁니다.

정답 100쪽

 모양을 찾을 수 없는 물건에 ✕표 하세요.

모양

개념 활동 강의

모양을 모두 찾아볼까요?

책상 위에 여러 가지 물건이 있어요.

탬버린, 시디, 튜브에서 ⬤ 모양을 찾을 수 있어요.

'⬤ 모양'은 '동그라미 모양'이라고 읽으면서 지도할 수 있습니다. 초등학교 1학년 2학기에서는 모양을 읽는 방법은 배우지 않고 '⬤ 모양'
으로만 배웁니다.

정답 100쪽

⬤ 모양을 찾을 수 없는 물건에 ✕표 하세요.

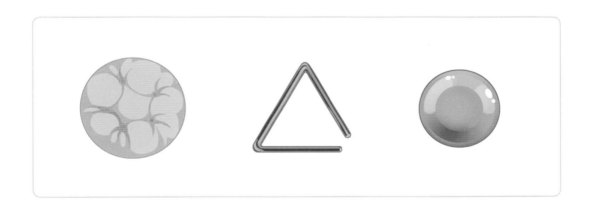

16일 모양이 같은 물건 ②

 같은 모양끼리 ⬭ 으로 묶어 보세요.

😊 모양이 같은 것끼리 선으로 연결하세요.

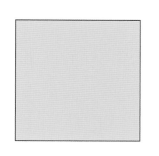

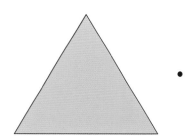

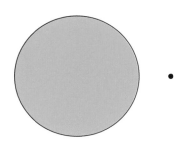

 자녀의 생활 주변에서 여러 가지 모양 물건을 실제로 찾아보도록 지도해 주세요.

17일 평면도형 그리기

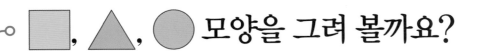 모양을 그려 볼까요?

나무와 피아노를 따라 ■, ▲, ● 모양을 그렸어요.

● 모양은 뾰족한 부분없이 둥글게 그리면 돼요.

😊 점선을 따라 모양을 그리세요.

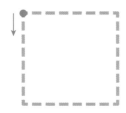  

맑음 구름 날

월   일

😲 점선을 따라 모양을 그리고, 같은 모양은 같은 색으로 색칠해 보세요.

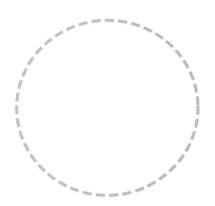
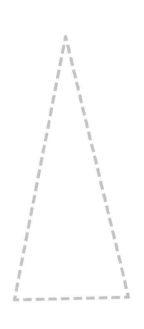

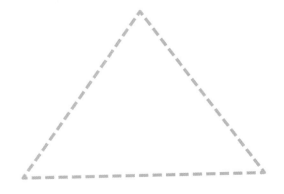

부분을 보고 평면도형 찾기

😀 스케치북에 그린 모양을 보고 알맞은 모양을 찾아 선으로 연결하세요.

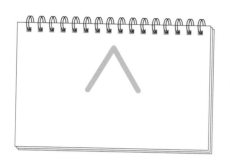

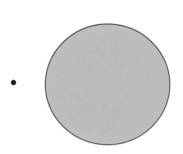

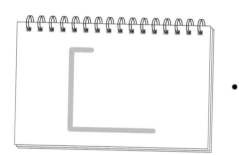

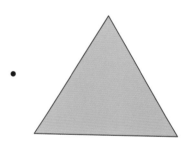

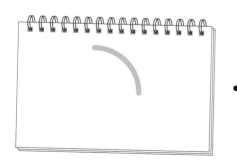

👵 뾰족한 부분을 4군데 그릴 수 있으면 ⬜ 모양이고, 뾰족한 부분을 3군데 그릴 수 있으면 🔺 모양이에요.

정답 101쪽

☺ ☐ 안의 모양을 보고 알맞은 모양을 따라가려고 합니다. 먹이가 있는 곳까지 가는 길을 찾아보세요.

개념 활동 강의

하율이가 사용한 모양을 모두 찾아볼까요?

하율이가 색종이를 오려 나비 모양을 만들었어요.

머리와 몸통은 ◯ 모양을, 더듬이와 날개는 △ 모양을 사용했어요.

하율이가 사용한 모양의 개수를 각각 구하세요.

0 개	6 개	4 개

월 일

왼쪽 모양을 만드는 데 사용한 모양의 개수를 각각 구하세요.

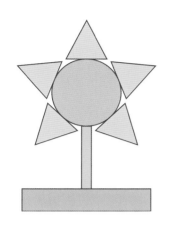

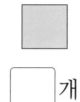 ☐ 개

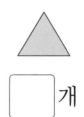 ☐ 개

 ☐ 개

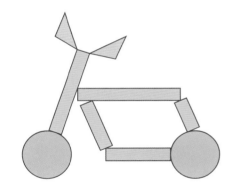

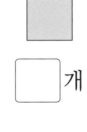 ☐ 개

 ☐ 개

 ☐ 개

☐ 개

 ☐ 개

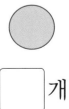 ☐ 개

물감으로 그림을 그리고 반으로 접었다 펼쳤습니다. 보기 에서 펼쳤을 때의
모양을 찾아 ◯표 하세요.

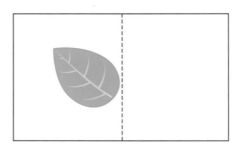

보기

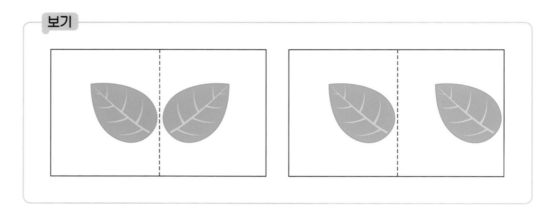

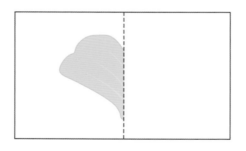

보기

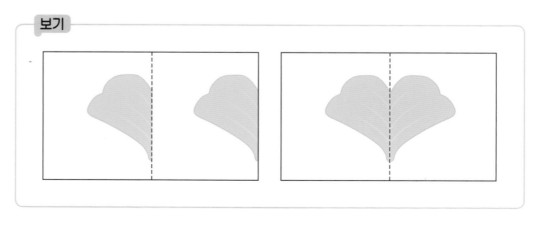

색종이를 반으로 접었다 펼쳤습니다. 알맞은 것끼리 선으로 연결하세요.

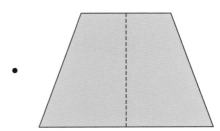

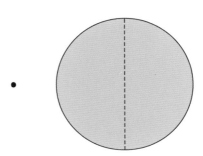

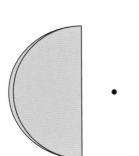

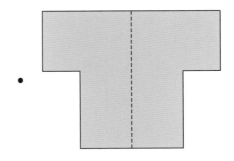

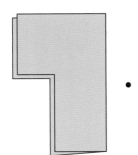

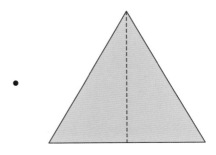

😊 **준비물 I을 잘라서 활용해 보세요. 가위는 조심해서 사용합니다.**

🐻 보기 의 모양 조각을 돌렸을 때 나올 수 없는 모양에 ✕표 하세요.

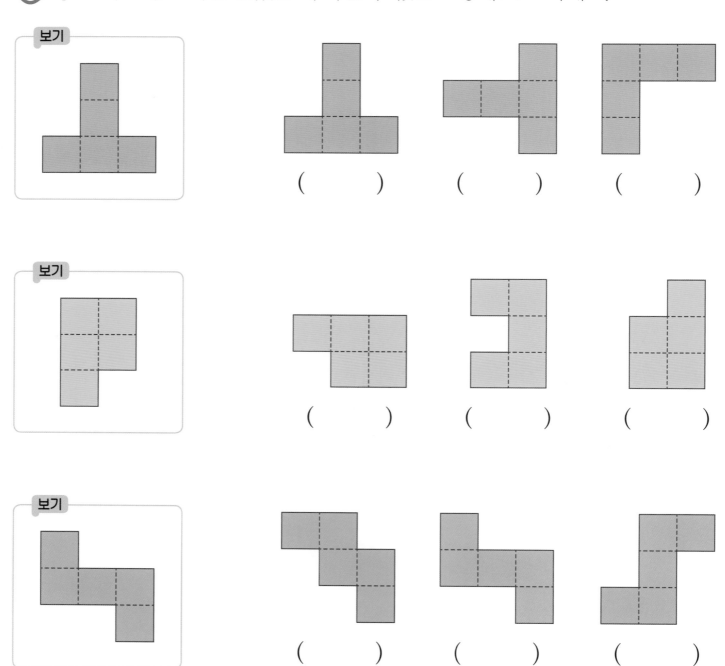

정사각형 5개를 붙여서 만든 도형을 펜토미노라고 합니다.
준비물I의 모양 조각을 이리저리 돌리면 어떤 모양이 되는지 알아봅니다. 그런 다음 주어진 조각으로 네모 모양을 만들어 보는 활동을 해 보세요.

정답 102쪽

😃 **준비물 1을 잘라서 활용해 보세요. 가위는 조심해서 사용합니다.**

😗 **보기** 의 모양 조각을 모두 사용하여 오른쪽 모양을 빈틈없이 채우려고 합니다. 모양 조각을 이리저리 돌려서 알맞은 위치를 찾아 색칠해 보세요.

보기
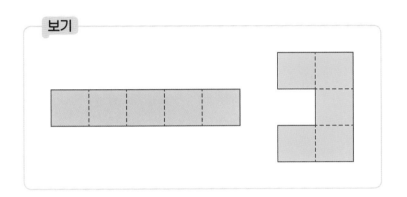
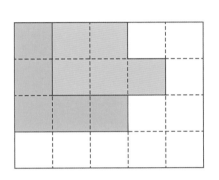

보기
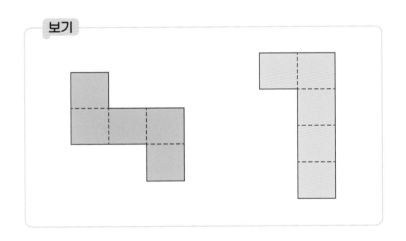
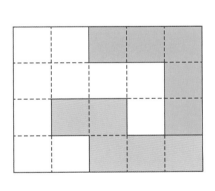

보기
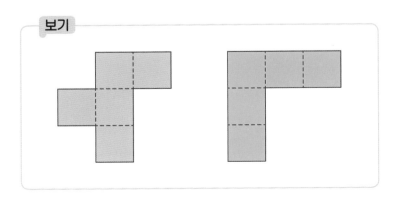
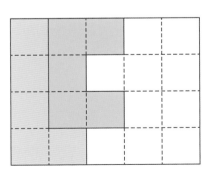

😊 **준비물 2를 잘라서 활용해 보세요. 가위는 조심해서 사용합니다.**

🙂 칠교판의 일곱 조각으로 토끼를 만들었습니다. 같은 방법으로 빈 곳에 칠교 조각을 채워 낙타를 완성해 보세요.

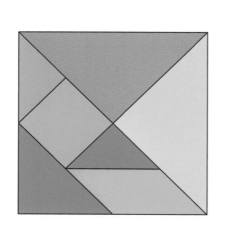

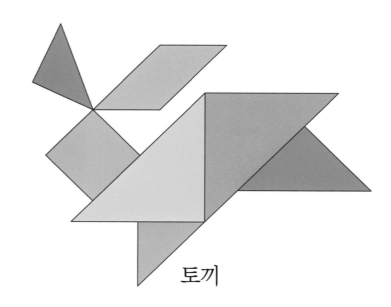

토끼

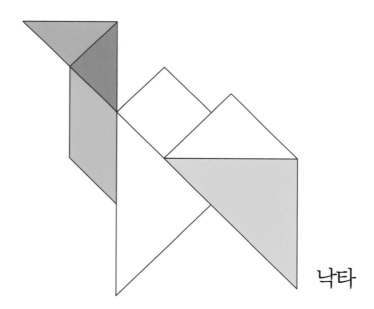

낙타

👩 칠교판은 사각형을 7조각으로 나눈 판을 말합니다.
준비물 2의 칠교 조각을 잘라 이리저리 돌려서 다양한 모양을 만들어 보는 활동을 해 보세요.

준비물 2를 잘라서 활용해 보세요. 가위는 조심해서 사용합니다.

칠교 조각 7개를 모두 사용하여 모양을 만들려고 합니다. 빈 곳에 칠교 조각을 채워 모양을 완성해 보세요.

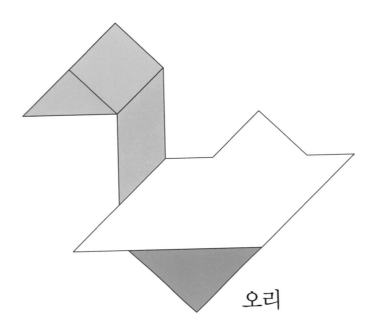

오리

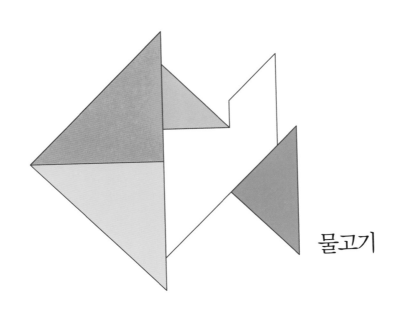

물고기

귀여운 강아지를 접어요

POINT 점선이 안으로 들어가게 접습니다.

완성!

주제

2

주제

비교하기

피터 팬과 후크 선장의 결투

후크 선장에게서 아이들을 구하려고
피터 팬이 찾아왔어요.

• **무엇을 알게 될까요?**
피터 팬과 후크 선장의 칼의 길이를 비교하면서 자연스럽게 **더 긴 것과 더 짧은 것**을 알게 됩니다.

• **언제 배우나요?**
이번에 공부할 내용은 **초등학교 1학년 1학기 4단원 비교하기** 단원에서 배우게 됩니다.

피터 팬은 후크 선장과의 결투에서
승리할 수 있을까요?

23일 더 긴 것과 더 짧은 것

누구의 칼이 더 길까요?

피터 팬과 후크 선장이 칼싸움을 해요.
한쪽 끝을 맞추었을 때 다른 쪽 끝이 더 많이 나온 것이 더 길어요.

더 긴 칼에 ◯표 하세요.

더 긴 것에 ◯표 하세요.

(   )

(   )

(   )

(   )

더 짧은 것에 △표 하세요.

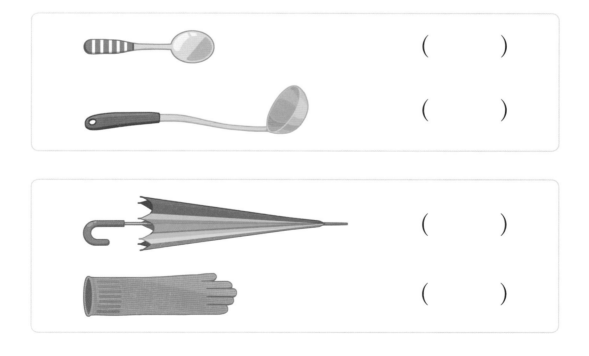

(   )

(   )

(   )

(   )

'연필이 크레파스보다 더 깁니다.', '숟가락이 국자보다 더 짧습니다.'와 같이 물건의 길이 비교를 말로 표현해 볼 수 있도록 지도해 주세요.

가장 긴 것과 가장 짧은 것

길이가 가장 긴 뱀과 가장 짧은 뱀을 찾아볼까요?

숲에 길이가 다른 뱀이 3마리 있어요.

한쪽 끝을 맞추었을 때 다른 쪽 끝이 많이 나올수록 더 길어요.

가장 긴 뱀에 ◯표, 가장 짧은 뱀에 △표 하세요.

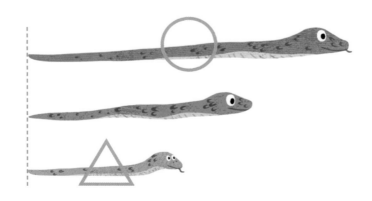

공부한 날

월   일

가장 긴 것에 ◯표, 가장 짧은 것에 △표 하세요.

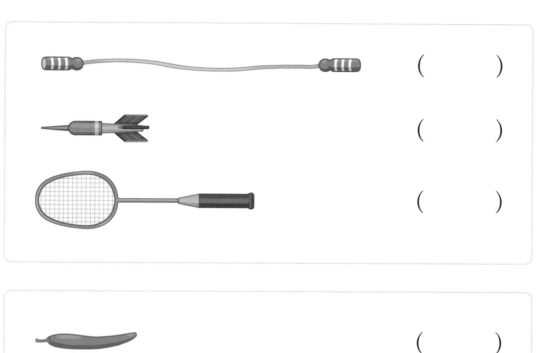

(   )

(   )

(   )

(   )

(   )

(   )

(   )

(   )

(   )

개념 활동 강의

○ 물건의 길이를 클립으로 비교해 볼까요?

붓과 물감의 길이를 클립으로 비교해요.
클립의 수가 더 많은 것의 길이가 더 길어요.

☺ ⬜안에 붓과 물감의 클립의 수를 각각 쓰세요.

 5    3

➡ 클립의 수가 더 많은 붓이 물감보다 더 깁니다.

성냥개비로 물건의 길이를 비교하려고 합니다. ☐ 안에 성냥개비의 수를 각각 쓰고, 알맞은 말에 ◯표 하세요.

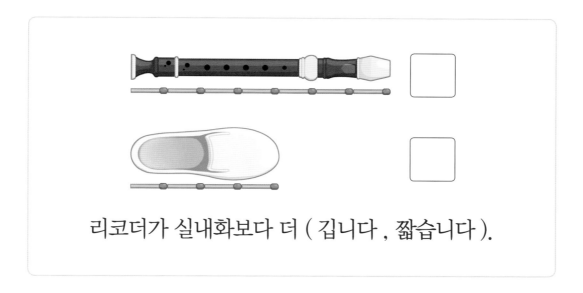

리코더가 실내화보다 더 (깁니다 , 짧습니다).

뒤집개가 빗자루보다 더 (깁니다 , 짧습니다).

초등학교에서는 뼘, 발, 클립 등 신체 일부와 물건을 사용하여 길이 재는 방법을 배웁니다.

같은 길이

○ 다람쥐 꼬리의 길이를 비교해 볼까요?

⬤의 수가 같으므로 다람쥐 꼬리의 길이는 같아요.
모양이 달라도 꼬리를 길게 펴면 길이가 같다는 뜻이에요.

😊 ☐ 안에 다람쥐 꼬리의 ⬤의 수를 각각 쓰세요.

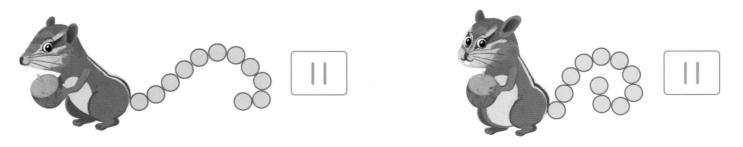

➡ ⬤의 수가 같으므로 두 다람쥐 꼬리의 길이는 같습니다.

정답 105쪽 월 일

😮 같은 고리 여러 개를 연결하여 모양을 만들었습니다. 길이가 같은 것끼리 선으로 연결하세요.

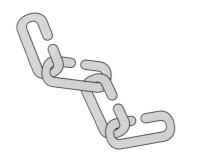

·

·

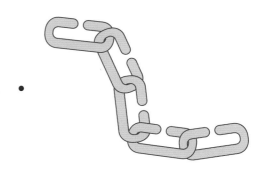

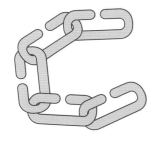

·

·

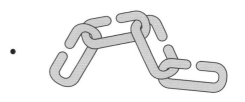

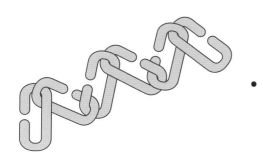

·

·

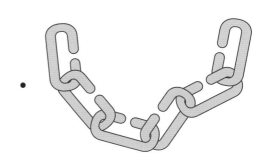

👵 고리의 수가 같으면 모양이 달라도 길이가 같음을 지도해 주세요. 가정에서 고리나 클립을 이용하여 모양을 만들고 길게 펴서 길이가 같음을 확인하는 활동을 할 수 있습니다.

27일 더 높은 것과 더 낮은 것

○ 더 높은 의자는 어느 것일까요?

예서와 준우가 높이가 다른 의자에 앉아 있어요.

아래쪽을 맞추었을 때 위쪽으로 더 많이 올라온 것이 더 높아요.

😊 더 높은 의자에 ◯표 하세요.

꿈이 가득한 날

월   일

더 높은 것에 ◯표 하세요.

더 낮은 것에 △표 하세요.

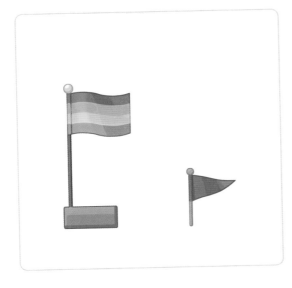

'사과 나무가 귤 나무보다 더 높습니다.', '보라색 깃발이 줄무늬 깃발보다 더 낮습니다.'와 같이 높이 비교를 말로 표현해 볼 수 있도록 지도해 주세요.

더 높은 곳과 더 낮은 곳

더 높은 곳에 있는 친구는 누구일까요?

민재와 선호가 정글짐에서 놀고 있어요.
밑에서부터 더 많이 올라가 있는 사람이 더 높은 곳에 있는 거예요.

😊 정글짐에서 더 높은 곳에 있는 친구에 ◯표 하세요.

정답 105쪽

더 높은 곳에 있는 것에 ◯표 하세요.

더 낮은 곳에 있는 것에 △표 하세요.

'까마귀는 참새보다 더 높은 곳에 있습니다.', '두더지는 다람쥐보다 더 낮은 곳에 있습니다.'와 같이 높이 비교를 말로 표현해 볼 수 있도록 지도해 주세요.

개념 활동 강의

○ 가장 높은 건물과 가장 낮은 건물은 어느 것일까요?

높이가 다른 건물이 3채 있어요.
밑에서부터 가장 많이 올라와 있는 것이 가장 높고,
가장 적게 올라와 있는 것이 가장 낮아요.

😀 가장 높은 건물에 ○표, 가장 낮은 건물에 △표 하세요.

정답 106쪽

가장 높은 것에 ◯표, 가장 낮은 것에 △표 하세요.

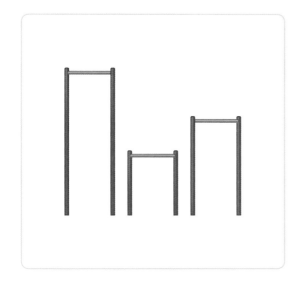

가장 높이 있는 것에 ◯표, 가장 낮게 있는 것에 △표 하세요.

개념 활동 강의

장난감의 높이를 블록으로 비교해 볼까요?

트럭과 자동차의 높이를 블록으로 비교해요.
블록의 수가 더 많은 것이 더 높아요.

☺ ☐ 안에 트럭과 자동차의 블록의 수를 각각 쓰세요.

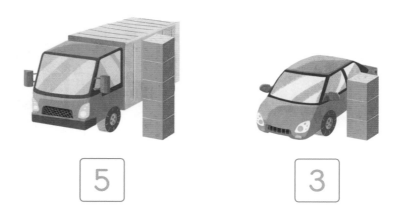

5   3

➡ 블록의 수가 더 많은 트럭이 자동차보다 더 높습니다.

정답 106쪽

월   일

종이 벽돌로 물건의 높이를 비교하려고 합니다. ☐ 안에 벽돌의 수를 각각 쓰고, 알맞은 말에 ◯표 하세요.

꽃병은 스탠드보다 더 (높습니다 , 낮습니다).

물병은 믹서기보다 더 (높습니다 , 낮습니다).

31일 더 무거운 것과 더 가벼운 것

개념 활동 강의

더 무거운 동물을 찾아볼까요?

물개와 거북이가 시소를 타요.
시소는 아래로 내려간 쪽이 더 무거워요.

더 무거운 동물에 ◯표 하세요.

정답 106쪽

😀 더 무거운 것에 ◯표 하세요.

😟 더 가벼운 것에 △표 하세요.

👩 손으로 들어 보았을 때 힘이 더 드는 것을 더 무겁다고 합니다. 시소나 저울은 무거운 쪽이 내려가는 원리를 떠올리며 물건의 무게를 직관적으로 비교할 수 있도록 지도해 주세요.

가장 무거운 것과 가장 가벼운 것

가장 무거운 물건과 가장 가벼운 물건은 어느 것일까요?

사람들이 마트에서 장을 보고 있어요.
수레에는 무게가 다른 물건이 담겨 있네요.
손으로 들었을 때 힘이 많이 들수록 더 무거워요.

😊 가장 무거운 것에 ◯표, 가장 가벼운 것에 △표 하세요.

정답 107쪽

😃 가장 무거운 것에 ◯표, 가장 가벼운 것에 △표 하세요.

 생활 주변 속 물건의 무게를 직관적으로 비교하고 확인해 보는 활동을 할 수 있습니다.

같은 단위로 무게 비교

개념 활동 강의

게와 새우의 무게를 컵으로 비교해 볼까요?

게와 새우의 무게를 컵으로 비교해요.
컵의 수가 더 많은 것이 더 무거워요.

☺ ☐ 안에 게와 새우의 컵의 수를 각각 쓰세요.

| 4 | 2 |

➡ 컵의 수가 더 많은 게가 새우보다 더 무겁습니다.

정답 107쪽

추를 사용하여 물건의 무게를 비교하려고 합니다. ☐ 안에 추의 수를 각각 쓰고, 알맞은 말에 ◯표 하세요.

신발이 우산보다 더 (무겁습니다 , 가볍습니다).

책가방이 선풍기보다 더 (무겁습니다 , 가볍습니다).

 추를 사용하여 물건의 무게를 비교하는 이유는 어떤 물건이 추 몇 개만큼 더 무거운지 알 수 있기 때문입니다.

개념 활동 강의

○ 더 넓은 밭은 어느 것일까요?

배추

호박

농부가 넓이가 다른 밭을 가꾸고 있어요.
겹쳐 보았을 때 남는 부분이 있는 것이 더 넓어요.

😊 더 넓은 밭에 ◯표 하세요.

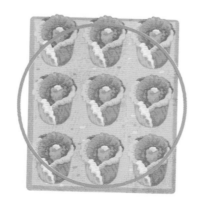

정답 107쪽

😊 더 넓은 것에 ◯표 하세요.

😊 더 좁은 것에 △표 하세요.

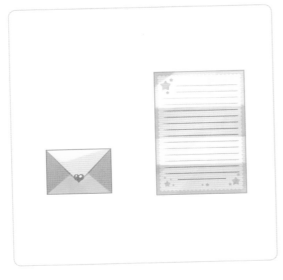

👩 겹쳐 보았을 때 남는 부분이 있는 것이 더 넓습니다. 눈으로 보고 넓이를 비교하기 어려울 때에는 직접 겹쳐 보며 넓이를 비교할 수 있도록 지도해 주세요.

가장 넓은 것과 가장 좁은 것

개념 활동 강의

가장 넓은 자리와 가장 좁은 자리를 찾아볼까요?

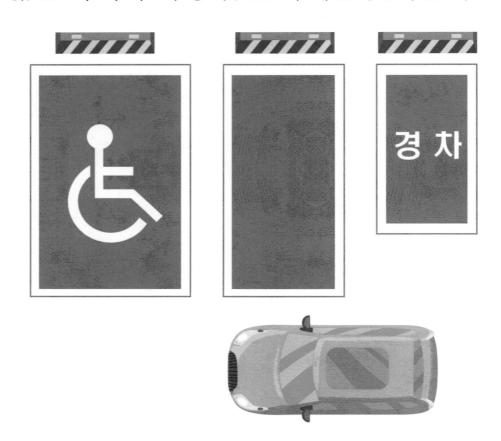

주차장에 넓이가 다른 주차 공간이 있어요.
장애인 운전자를 위해 주차 공간을 넓게 만들었고,
작은 경차를 위해 주차 공간을 좁게 만들었어요.

가장 넓은 것에 ◯표, 가장 좁은 것에 △표 하세요.

정답 108쪽

가장 넓은 것에 ◯표, 가장 좁은 것에 △표 하세요.

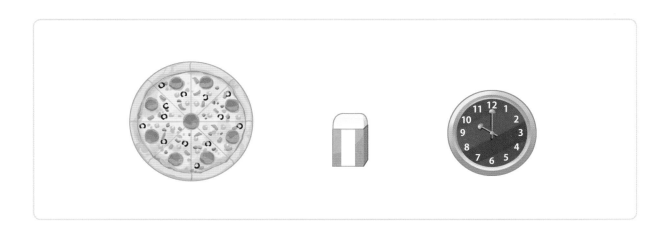

어느 웅덩이가 더 넓을까요?

웅덩이의 넓이를 칸으로 비교해요.
칸의 수가 더 많은 웅덩이의 넓이가 더 넓어요.

😊 ☐ 안에 웅덩이 칸의 수를 각각 쓰세요.

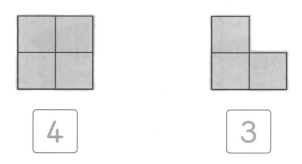

| 4 | 3 |

➡ 칸의 수가 더 많은 웅덩이의 넓이가 더 넓습니다.

칸의 수를 세어 과자의 넓이를 비교하려고 합니다. ☐ 안에 칸 수를 각각
쓰고, 알맞은 말에 ◯표 하세요.

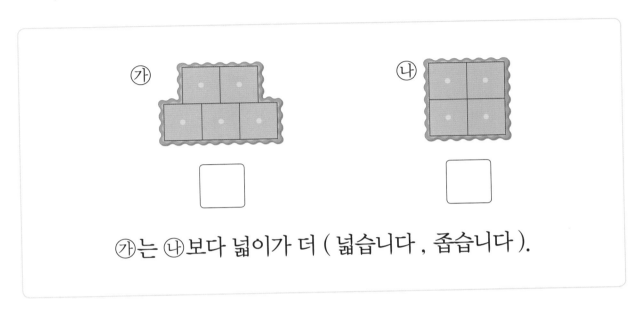

㉮는 ㉯보다 넓이가 더 (넓습니다 , 좁습니다).

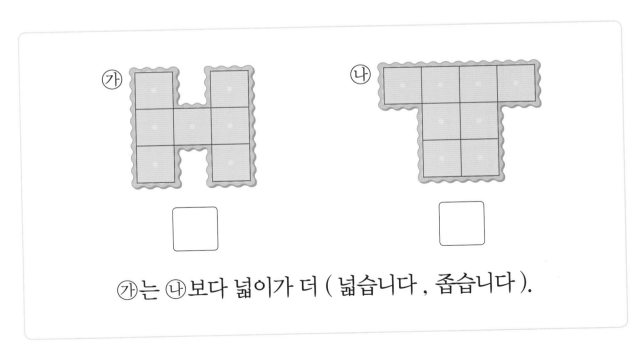

㉮는 ㉯보다 넓이가 더 (넓습니다 , 좁습니다).

개념 활동 강의

땅따먹기 놀이판의 넓이를 비교해 볼까요?

☐의 칸 수가 같으므로 놀이판의 넓이는 같아요.
모양이 달라도 넓이가 같을 수 있어요.

☐ 안에 놀이판의 칸 수를 각각 쓰세요.

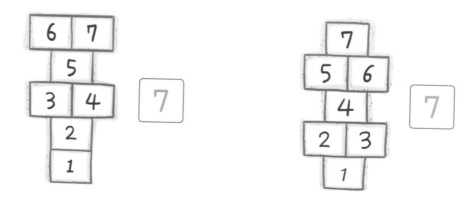

➡ 칸 수가 같으므로 두 놀이판의 넓이는 같습니다.

정답 108쪽

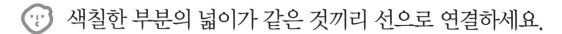 색칠한 부분의 넓이가 같은 것끼리 선으로 연결하세요.

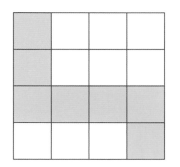

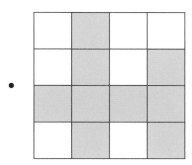

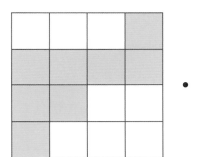

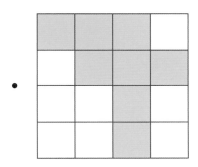

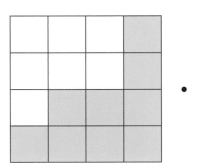

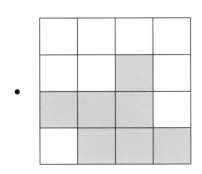

 색칠한 부분의 칸 수가 같으면 모양이 달라도 넓이가 같음을 지도해 주세요.

개념 활동 강의

어느 그릇에 담긴 물의 양이 더 많을까요?

두루미와 여우가 같은 그릇에 담긴 물을 마시려고 해요.
그릇에 담긴 물의 높이가 높을수록 담긴 물의 양이 더 많아요.

물이 더 많이 담긴 것에 ◯표 하세요.

물이 더 많이 담긴 것에 ◯표 하세요.

물이 더 적게 담긴 것에 △표 하세요.

 그릇의 모양이 같으면 물의 높이가 더 높은 것이 담긴 물의 양이 더 많습니다.

개념 활동 강의

담긴 약수의 양이 가장 많은 것과 가장 적은 것을 찾아볼까요?

약수터에서 물통에 약수를 담고 있어요.
물의 높이가 가장 높은 것이 담긴 양이 가장 많고,
물의 높이가 가장 낮은 것이 담긴 양이 가장 적어요.

담긴 양이 가장 많은 것에 ◯표, 가장 적은 것에 △표 하세요.

정답 109쪽

담긴 양이 가장 많은 것에 ◯표, 가장 적은 것에 △표 하세요.

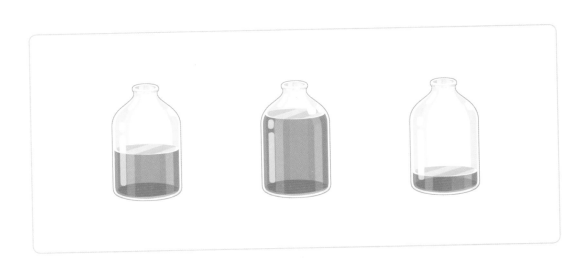

40일 같은 단위로 담긴 양 비교

어느 주전자에 담겨 있던 물의 양이 더 많을까요?

주전자에 담겨 있던 물을 모두
모양과 크기가 같은 컵에 옮겨 담았어요.
컵의 수가 더 많은 주전자에 담겨 있던 물의 양이 더 많아요.

☺ ☐ 안에 주전자의 컵의 수를 각각 쓰세요.

 6

 5

➡ 컵의 수가 더 많은 하늘색 주전자에 담겨 있던 물의 양이
분홍색 주전자에 담겨 있던 물의 양보다 더 많습니다.

정답 109쪽

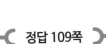 물병의 물을 모두 모양과 크기가 같은 컵에 옮겨 담았습니다. ☐ 안에 컵의 수를 각각 쓰고, 알맞은 말에 ◯표 하세요.

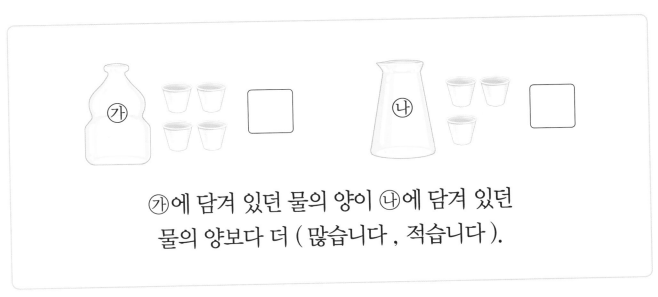

㉮에 담겨 있던 물의 양이 ㉯에 담겨 있던
물의 양보다 더 (많습니다 , 적습니다).

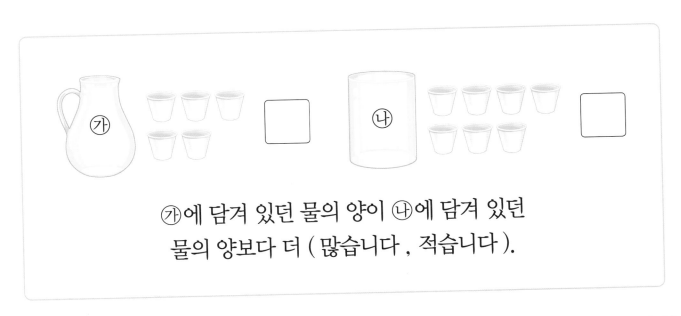

㉮에 담겨 있던 물의 양이 ㉯에 담겨 있던
물의 양보다 더 (많습니다 , 적습니다).

키가 쑥 크는 성장 체조를 해요

팔 늘리기
손가락은 깍지를 끼고 위로 쭉 뻗어요.

옆구리 늘리기
손가락 깍지를 낀 자세로 몸을 옆으로
왔다갔다 움직여요.

성장판 자극하기
양 손바닥을 바닥에 댄 다음 하체는 고정하고
팔꿈치를 똑바로 펴면서 일어나요.

다리 늘리기
한쪽 다리는 펴고 다른 쪽 다리는
무릎을 구부리며 앉아요.

정답

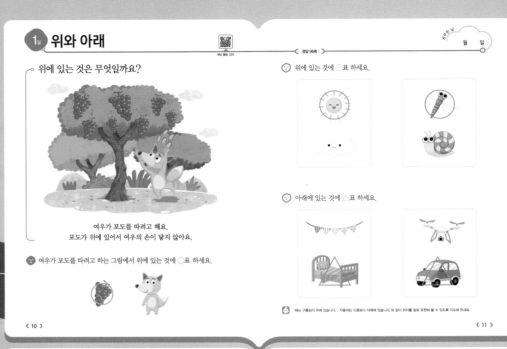

1일 위와 아래

위에 있는 것은 무엇일까요?

여우가 포도를 따려고 해요.
포도가 위에 있어서 여우의 손이 닿지 않아요.

여우가 포도를 따려고 하는 그림에서 위에 있는 것에 ○표 하세요.

위에 있는 것에 ○표 하세요.

아래에 있는 것에 △표 하세요.

< 10 >   < 11 >

2일 앞, 뒤, 옆

의자의 앞, 뒤, 옆에 있는 장난감은 무엇일까요?

의자 주변에 장난감이 놓여 있어요.
의자의 앞에는 로봇이, 뒤에는 자동차가, 옆에는 인형이 있어요.

의자의 앞에 있는 장난감에 ○표 하세요.

선아의 앞, 뒤, 옆에 물건이 있습니다. 같은 위치에 있는 것끼리 선으로 연결하세요.

< 12 >   < 13 >

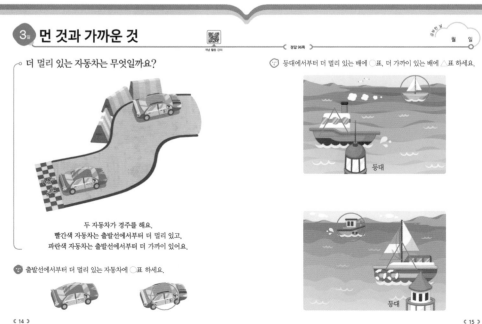

3일 먼 것과 가까운 것

더 멀리 있는 자동차는 무엇일까요?

두 자동차가 경주를 해요.
빨간색 자동차는 출발선에서부터 더 멀리 있고,
파란색 자동차는 출발선에서부터 더 가까이 있어요.

출발선에서부터 더 멀리 있는 자동차에 ○표 하세요.

등대에서부터 더 멀리 있는 배에 ○표, 더 가까이 있는 배에 △표 하세요.

등대

등대

< 14 >   < 15 >

< 96 >

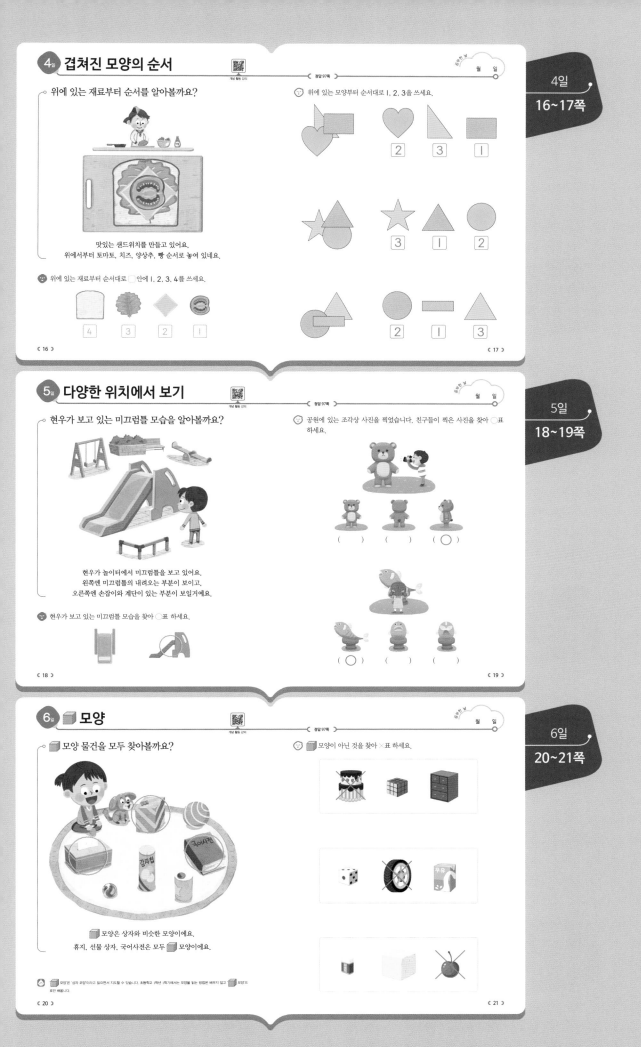

4일 겹쳐진 모양의 순서

위에 있는 재료부터 순서를 알아볼까요?

맛있는 샌드위치를 만들고 있어요.
위에서부터 토마토, 치즈, 양상추, 빵 순서로 놓여 있네요.

위에 있는 재료부터 순서대로 □ 안에 1, 2, 3, 4를 쓰세요.

| 4 | 3 | 2 | 1 |

위에 있는 모양부터 순서대로 1, 2, 3을 쓰세요.

| 2 | 3 | 1 |

| 3 | 1 | 2 |

| 2 | 1 | 3 |

4일
16~17쪽

5일 다양한 위치에서 보기

현우가 보고 있는 미끄럼틀 모습을 알아볼까요?

현우가 놀이터에서 미끄럼틀을 보고 있어요.
왼쪽엔 미끄럼틀의 내려오는 부분이 보이고,
오른쪽엔 손잡이와 계단이 있는 부분이 보일거예요.

현우가 보고 있는 미끄럼틀 모습을 찾아 ○표 하세요.

공원에 있는 조각상 사진을 찍었습니다. 친구들이 찍은 사진을 찾아 ○표 하세요.

( ) ( ) (○)

(○) ( ) ( )

5일
18~19쪽

6일 ▧ 모양

▧ 모양 물건을 모두 찾아볼까요?

▧ 모양은 상자와 비슷한 모양이에요.
휴지, 선물 상자, 국어사전은 모두 ▧ 모양이에요.

▧ 모양이 아닌 것을 찾아 ×표 하세요.

▧ 모양은 '상자 모양'이라고 말하면서 지도할 수 있습니다. 초등학교 1학년 1학기에서는 모양을 읽는 방법은 배우지 않고 ▧ 모양으로 분류해 배웁니다.

6일
20~21쪽

< **98** >

10일 부분을 보고 입체도형 찾기

돋보기로 본 모양을 보고 알맞은 모양을 찾아 선으로 연결하세요.

◯ 안의 모양을 보고 알맞은 모양을 따라가려고 합니다. 토끼네 집까지 가는 길을 찾아보세요.

《 28 》   《 29 》

11일 여러 가지 모양 ①

혜리가 사용한 모양을 모두 찾아볼까요?

혜리가 블록으로 시소 모양을 만들었어요.
시소의 아랫부분은 ⬜ 모양을, 윗부분은 ⬛ 모양을 사용했어요.

혜리가 사용한 모양의 개수를 각각 구하세요.

3 개   1 개   0 개

왼쪽 모양을 만드는 데 사용한 모양의 개수를 각각 구하세요.

1 개   3 개   3 개

4 개   1 개   1 개

2 개   4 개   2 개

《 30 》   《 31 》

12일 입체도형으로 도장 찍기

도장을 찍으면 어떤 모양이 나올까요?

지성이가 ⬜ 모양 블록의 아래쪽에 물감을 묻혀
도장 찍기 놀이를 하고 있어요.
물감을 묻힌 부분의 모양이 종이에 나오게 돼요.

지성이가 찍은 도장의 모양을 찾아 ◯표 하세요.

(◯)   (   )   (   )

모양 블록의 아래쪽에 물감을 묻혀 도장을 찍었습니다. 사용한 모양 블록을 찾아 ◯표 하세요.

(   )   (◯)   (   )

(   )   (   )   (◯)

《 32 》   《 33 》

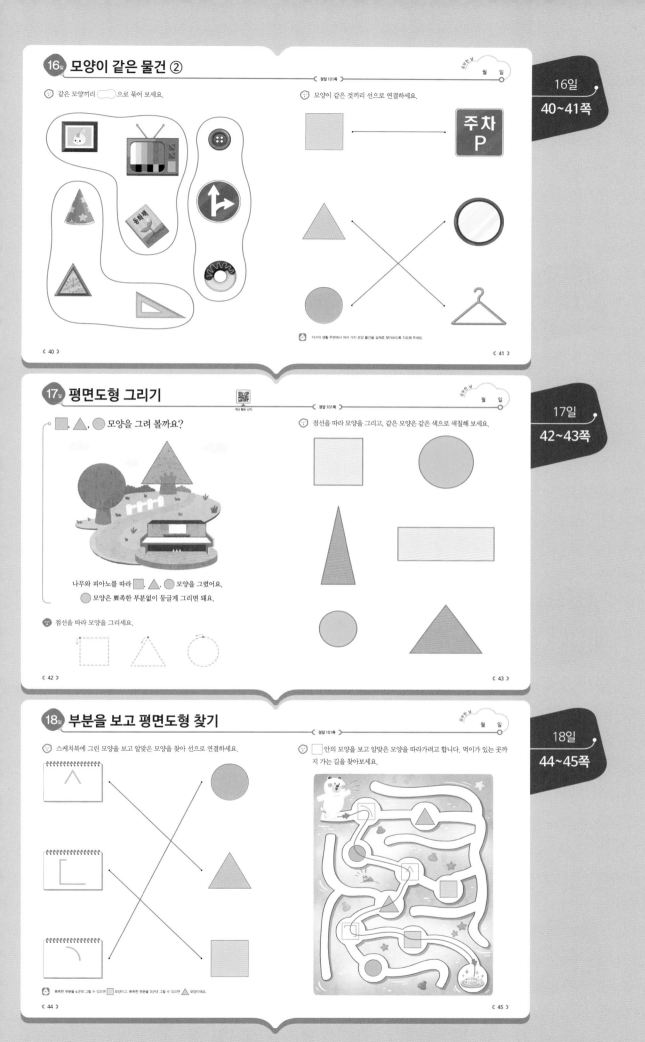

16일
40~41쪽

17일
42~43쪽

18일
44~45쪽

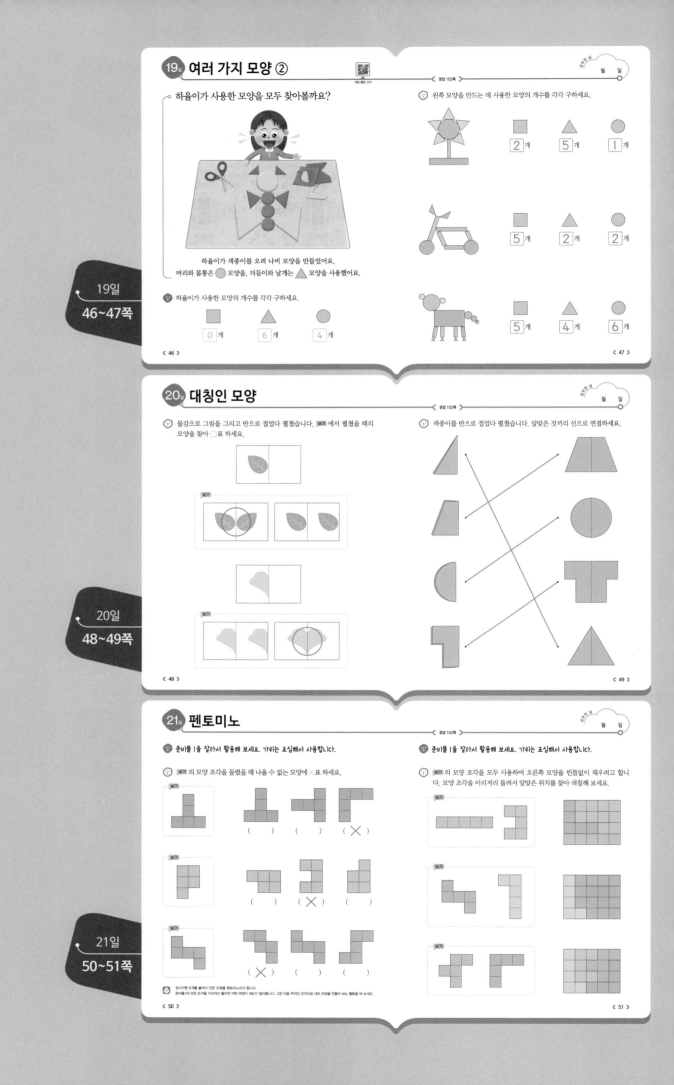

19일 여러 가지 모양 ②

하율이가 사용한 모양을 모두 찾아볼까요?

하율이가 색종이를 오려 나비 모양을 만들었어요.
머리와 몸통은 ● 모양을, 더듬이와 날개는 ▲ 모양을 사용했어요.

하율이가 사용한 모양의 개수를 각각 구하세요.

■ 0 개   ▲ 6 개   ● 4 개

왼쪽 모양을 만드는 데 사용한 모양의 개수를 각각 구하세요.

■ 2 개   ▲ 5 개   ● 1 개

■ 5 개   ▲ 2 개   ● 2 개

■ 5 개   ▲ 4 개   ● 6 개

〈 46 〉   〈 47 〉

20일 대칭인 모양

물감으로 그림을 그리고 반으로 접었다 펼쳤습니다. 보기 에서 펼쳤을 때의 모양을 찾아 ○표 하세요.

색종이를 반으로 접었다 펼쳤습니다. 알맞은 것끼리 선으로 연결하세요.

〈 48 〉   〈 49 〉

21일 펜토미노

준비물 1을 잘라서 활용해 보세요. 가위는 조심해서 사용합니다.

보기 의 모양 조각을 돌렸을 때 나올 수 없는 모양에 ×표 하세요.

(   )   (   )   (×)

(   )   (×)   (   )

(×)   (   )   (   )

준비물 1을 잘라서 활용해 보세요. 가위는 조심해서 사용합니다.

보기 의 모양 조각을 모두 사용하여 오른쪽 모양을 빈틈없이 채우려고 합니다. 모양 조각을 이리저리 돌려서 알맞은 위치를 찾아 색칠해 보세요.

정사각형 5개를 붙여 만든 도형을 펜토미노라고 합니다.
준비물 1의 모양 조각을 이리저리 돌려면 어떤 모양이 되는지 알아봅니다. 그런 다음 주어진 조각으로 네모 모양을 만들어 보는 활동을 해 보세요.

〈 50 〉   〈 51 〉

22일 칠교판

〈 정답 103쪽 〉

😊 준비물 2를 잘라서 활용해 보세요. 가위는 조심해서 사용합니다.

🙂 칠교판의 일곱 조각으로 토끼를 만들었습니다. 같은 방법으로 빈 곳에 칠교 조각을 채워 낙타를 완성해 보세요.

😊 준비물 2를 잘라서 활용해 보세요. 가위는 조심해서 사용합니다.

🙂 칠교 조각 7개를 모두 사용하여 모양을 만들려고 합니다. 빈 곳에 칠교 조각을 채워 모양을 완성해 보세요.

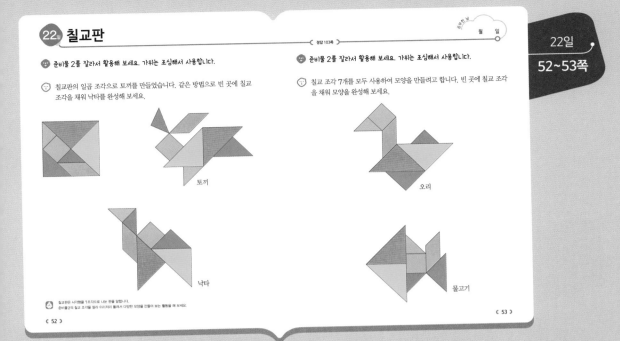

토끼

낙타

오리

물고기

🔷 칠교판은 사각형을 7조각으로 나눈 판을 말합니다.
준비물 2의 칠교 조각을 잘라 이리저리 돌려서 다양한 모양을 만들어 보는 활동을 해 보세요.

〈 52 〉

〈 53 〉

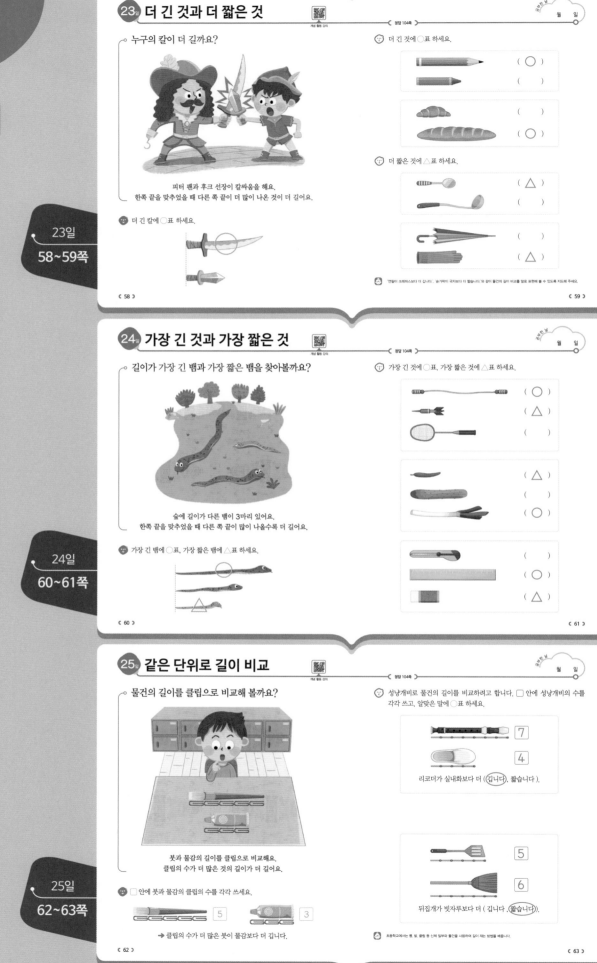

23일 더 긴 것과 더 짧은 것

〈 정답 104쪽 〉

누구의 칼이 더 길까요?

피터 팬과 후크 선장이 칼싸움을 해요.
한쪽 끝을 맞추었을 때 다른 쪽 끝이 더 많이 나온 것이 더 길어요.

더 긴 칼에 ◯표 하세요.

더 긴 것에 ◯표 하세요.

(◯)
(   )

(   )
(◯)

더 짧은 것에 △표 하세요.

(△)
(   )

(   )
(△)

23일
58~59쪽

〈 58 〉　　〈 59 〉

24일 가장 긴 것과 가장 짧은 것

〈 정답 104쪽 〉

길이가 가장 긴 뱀과 가장 짧은 뱀을 찾아볼까요?

숲에 길이가 다른 뱀이 3마리 있어요.
한쪽 끝을 맞추었을 때 다른 쪽 끝이 많이 나올수록 더 길어요.

가장 긴 뱀에 ◯표, 가장 짧은 뱀에 △표 하세요.

가장 긴 것에 ◯표, 가장 짧은 것에 △표 하세요.

(◯)
(△)
(   )

(△)
(   )
(◯)

(   )
(◯)
(△)

24일
60~61쪽

〈 60 〉　　〈 61 〉

25일 같은 단위로 길이 비교

〈 정답 104쪽 〉

물건의 길이를 클립으로 비교해 볼까요?

붓과 물감의 길이를 클립으로 비교해요.
클립의 수가 더 많은 것의 길이가 더 길어요.

□ 안에 붓과 물감의 클립의 수를 각각 쓰세요.

5　3

→ 클립의 수가 더 많은 붓이 물감보다 더 깁니다.

성냥개비로 물건의 길이를 비교하려고 합니다. □ 안에 성냥개비의 수를 각각 쓰고, 알맞은 말에 ◯표 하세요.

7
4

리코더가 실내화보다 더 ((깁니다.) 짧습니다).

5
6

뒤집개가 빗자루보다 더 (깁니다. (짧습니다)).

25일
62~63쪽

〈 62 〉　　〈 63 〉

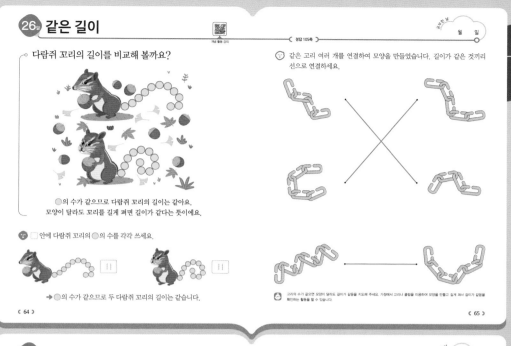

26일 같은 길이

다람쥐 꼬리의 길이를 비교해 볼까요?

◯의 수가 같으므로 다람쥐 꼬리의 길이는 같아요.
모양이 달라도 꼬리를 길게 펴면 길이가 같다는 뜻이에요.

☺ ☐ 안에 다람쥐 꼬리의 ◯의 수를 각각 쓰세요.

➜ ◯의 수가 같으므로 두 다람쥐 꼬리의 길이는 같습니다.

《 64 》

같은 고리 여러 개를 연결하여 모양을 만들었습니다. 길이가 같은 것끼리 선으로 연결하세요.

《 65 》

27일 더 높은 것과 더 낮은 것

더 높은 의자는 어느 것일까요?

예서와 준우가 높이가 다른 의자에 앉아 있어요.
아래쪽을 맞추었을 때 위쪽으로 더 많이 올라온 것이 더 높아요.

☺ 더 높은 의자에 ◯표 하세요.

《 66 》

더 높은 것에 ◯표 하세요.

더 낮은 것에 △표 하세요.

《 67 》

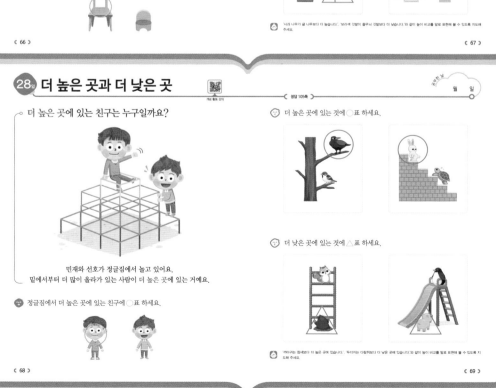

28일 더 높은 곳과 더 낮은 곳

더 높은 곳에 있는 친구는 누구일까요?

민재와 선호가 정글짐에서 놀고 있어요.
밑에서부터 더 많이 올라가 있는 사람이 더 높은 곳에 있는 거예요.

☺ 정글짐에서 더 높은 곳에 있는 친구에 ◯표 하세요.

《 68 》

더 높은 곳에 있는 것에 ◯표 하세요.

더 낮은 곳에 있는 것에 △표 하세요.

《 69 》

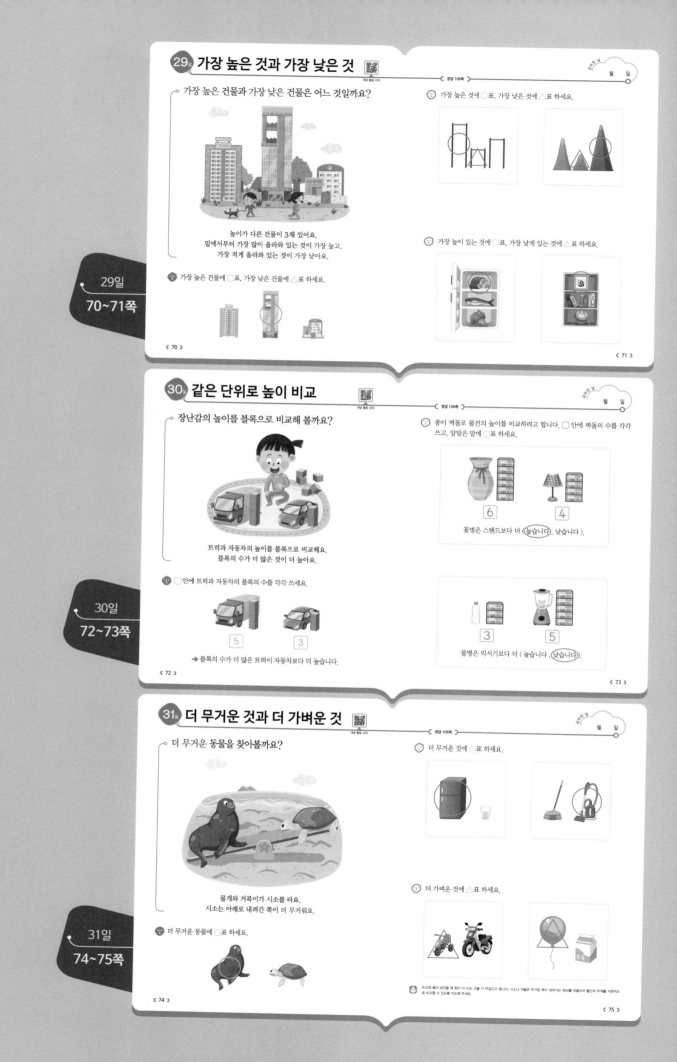

29일 가장 높은 것과 가장 낮은 것

가장 높은 건물과 가장 낮은 건물은 어느 것일까요?

높이가 다른 건물이 3채 있어요.
밑에서부터 가장 많이 올라와 있는 것이 가장 높고,
가장 적게 올라와 있는 것이 가장 낮아요.

가장 높은 건물에 ◯표, 가장 낮은 건물에 △표 하세요.

⟨ 70 ⟩

가장 높은 것에 ◯표, 가장 낮은 것에 △표 하세요.

가장 높이 있는 것에 ◯표, 가장 낮게 있는 것에 △표 하세요.

⟨ 71 ⟩

30일 같은 단위로 높이 비교

장난감의 높이를 블록으로 비교해 볼까요?

트럭과 자동차의 높이를 블록으로 비교해요.
블록의 수가 더 많은 것이 더 높아요.

□안에 트럭과 자동차의 블록의 수를 각각 쓰세요.

5   3

➜ 블록의 수가 더 많은 트럭이 자동차보다 더 높습니다.

⟨ 72 ⟩

종이 벽돌로 물건의 높이를 비교하려고 합니다. □ 안에 벽돌의 수를 각각 쓰고, 알맞은 말에 ◯표 하세요.

6   4

꽃병은 스탠드보다 더 (높습니다, 낮습니다).

3   5

물병은 믹서기보다 더 (높습니다, 낮습니다).

⟨ 73 ⟩

31일 더 무거운 것과 더 가벼운 것

더 무거운 동물을 찾아볼까요?

물개와 거북이가 시소를 타요.
시소는 아래로 내려간 쪽이 더 무거워요.

더 무거운 동물에 ◯표 하세요.

⟨ 74 ⟩

더 무거운 것에 ◯표 하세요.

더 가벼운 것에 △표 하세요.

손으로 들어 보았을 때 힘이 더 드는 것을 더 무겁다고 합니다. 시소나 저울은 무거운 쪽이 내려가는 원리를 이용하여 물건의 무게를 직관적으로 비교할 수 있도록 지도해 주세요.

⟨ 75 ⟩

32일 가장 무거운 것과 가장 가벼운 것

정답 107쪽

월   일

가장 무거운 물건과 가장 가벼운 물건은 어느 것일까요?

사람들이 마트에서 장을 보고 있어요.
수레에는 무게가 다른 물건이 담겨 있네요.
손으로 들었을 때 힘이 많이 들수록 더 무거워요.

가장 무거운 것에 ○표, 가장 가벼운 것에 △표 하세요.

가장 무거운 것에 ○표, 가장 가벼운 것에 △표 하세요.

생활 주변 속 물건의 무게를 직관적으로 비교하고 확인해 보는 활동을 할 수 있습니다.

《 76 》   《 77 》

32일
76~77쪽

33일 같은 단위로 무게 비교

정답 107쪽

월   일

게와 새우의 무게를 컵으로 비교해 볼까요?

게와 새우의 무게를 컵으로 비교해요.
컵의 수가 더 많은 것이 더 무거워요.

☐ 안에 게와 새우의 컵의 수를 각각 쓰세요.

4   2

➜ 컵의 수가 더 많은 게가 새우보다 더 무겁습니다.

추를 사용하여 물건의 무게를 비교하려고 합니다. ☐ 안에 추의 수를 각각 쓰고, 알맞은 말에 ○표 하세요.

3   2

신발이 우산보다 더 (무겁습니다 , 가볍습니다).

4   6

책가방이 선풍기보다 더 (무겁습니다 , 가볍습니다).

추를 사용하여 물건의 무게를 비교하는 이유는 어떤 물건이 추 몇 개만큼 더 무거운지 알 수 있기 때문입니다.

《 78 》   《 79 》

33일
78~79쪽

34일 더 넓은 것과 더 좁은 것

정답 107쪽

월   일

더 넓은 밭은 어느 것일까요?

농부가 넓이가 다른 밭을 가꾸고 있어요.
겹쳐 보았을 때 남는 부분이 있는 것이 더 넓어요.

더 넓은 밭에 ○표 하세요.

더 넓은 것에 ○표 하세요.

더 좁은 것에 △표 하세요.

겹쳐 보았을 때 남는 부분이 있는 것이 더 넓습니다. 눈으로 보고 넓이를 비교하기 어려울 때에는 직접 겹쳐 보여 넓이를 비교할 수 있도록 지도해 주세요.

《 80 》   《 81 》

34일
80~81쪽

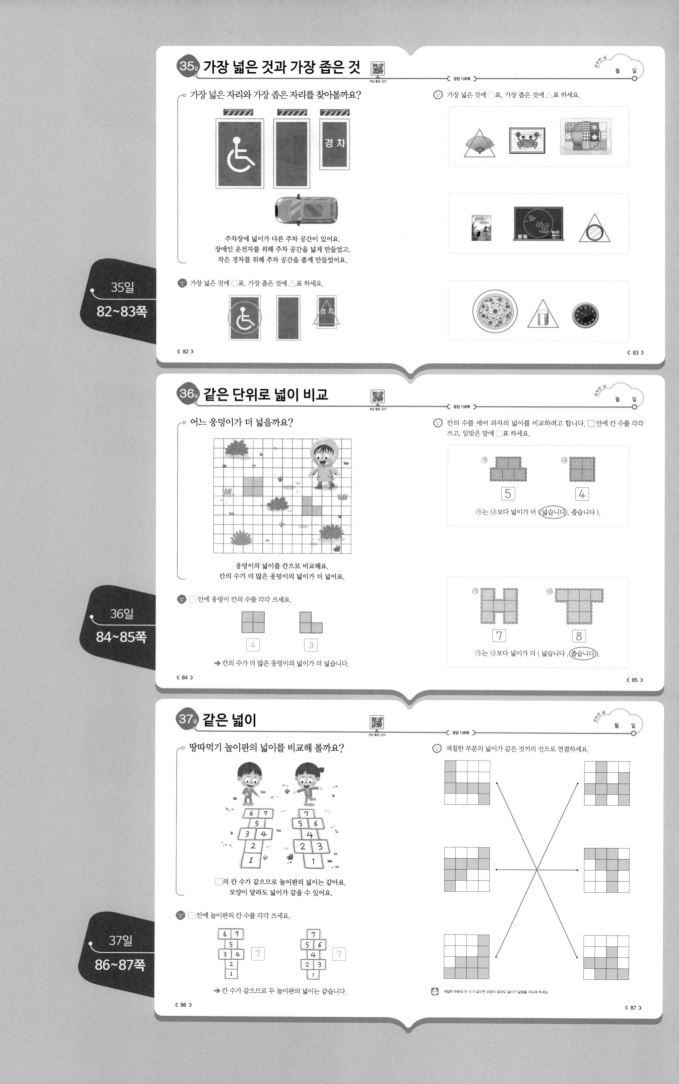

35일 가장 넓은 것과 가장 좁은 것

정답 108쪽

월 일

가장 넓은 자리와 가장 좁은 자리를 찾아볼까요?

경차

주차장에 넓이가 다른 주차 공간이 있어요.
장애인 운전자를 위해 주차 공간을 넓게 만들었고,
작은 경차를 위해 주차 공간을 좁게 만들었어요.

가장 넓은 것에 ○표, 가장 좁은 것에 △표 하세요.

경차

가장 넓은 것에 ○표, 가장 좁은 것에 △표 하세요.

〈 82 〉 〈 83 〉

36일 같은 단위로 넓이 비교

정답 108쪽

월 일

어느 웅덩이가 더 넓을까요?

웅덩이의 넓이를 칸으로 비교해요.
칸의 수가 더 많은 웅덩이의 넓이가 더 넓어요.

□ 안에 웅덩이 칸의 수를 각각 쓰세요.

4   3

➜ 칸의 수가 더 많은 웅덩이의 넓이가 더 넓습니다.

칸의 수를 세어 과자의 넓이를 비교하려고 합니다. □ 안에 칸 수를 각각
쓰고, 알맞은 말에 ○표 하세요.

㉮   ㉯

5   4

㉮는 ㉯보다 넓이가 더 (넓습니다, 좁습니다).

㉮   ㉯

7   8

㉮는 ㉯보다 넓이가 더 (넓습니다, 좁습니다).

〈 84 〉 〈 85 〉

37일 같은 넓이

정답 108쪽

월 일

땅따먹기 놀이판의 넓이를 비교해 볼까요?

□의 칸 수가 같으므로 놀이판의 넓이는 같아요.
모양이 달라도 넓이가 같을 수 있어요.

□ 안에 놀이판의 칸 수를 각각 쓰세요.

7   7

➜ 칸 수가 같으므로 두 놀이판의 넓이는 같습니다.

색칠한 부분의 넓이가 같은 것끼리 선으로 연결하세요.

색칠한 부분의 칸 수가 같으면 모양이 달라도 넓이가 같음을 지도해 주세요.

〈 86 〉 〈 87 〉

38일 더 많은 것과 더 적은 것

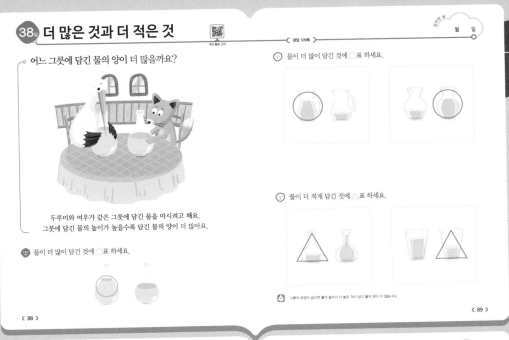

어느 그릇에 담긴 물의 양이 더 많을까요?

두루미와 여우가 같은 그릇에 담긴 물을 마시려고 해요.
그릇에 담긴 물의 높이가 높을수록 담긴 물의 양이 더 많아요.

😀 물이 더 많이 담긴 것에 ○표 하세요.

① 물이 더 많이 담긴 것에 ○표 하세요.

② 물이 더 적게 담긴 것에 △표 하세요.

💡 그릇의 모양이 같으면 물의 높이가 높은 것이 담긴 물의 양이 더 많습니다.

《 88 》 　　　　　　《 89 》

38일
88~89쪽

39일 가장 많은 것과 가장 적은 것

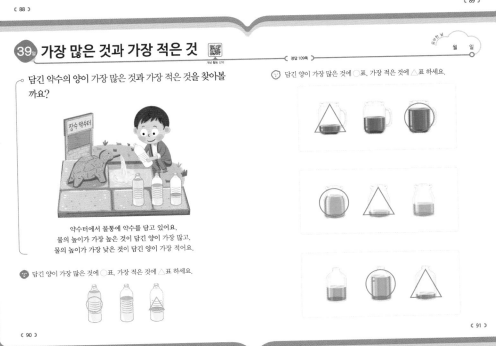

담긴 약수의 양이 가장 많은 것과 가장 적은 것을 찾아볼까요?

약수터에서 물통에 약수를 담고 있어요.
물의 높이가 가장 높은 것이 담긴 양이 가장 많고,
물의 높이가 가장 낮은 것이 담긴 양이 가장 적어요.

😀 담긴 양이 가장 많은 것에 ○표, 가장 적은 것에 △표 하세요.

① 담긴 양이 가장 많은 것에 ○표, 가장 적은 것에 △표 하세요.

《 90 》 　　　　　　《 91 》

39일
90~91쪽

40일 같은 단위로 담긴 양 비교

어느 주전자에 담겨 있던 물의 양이 더 많을까요?

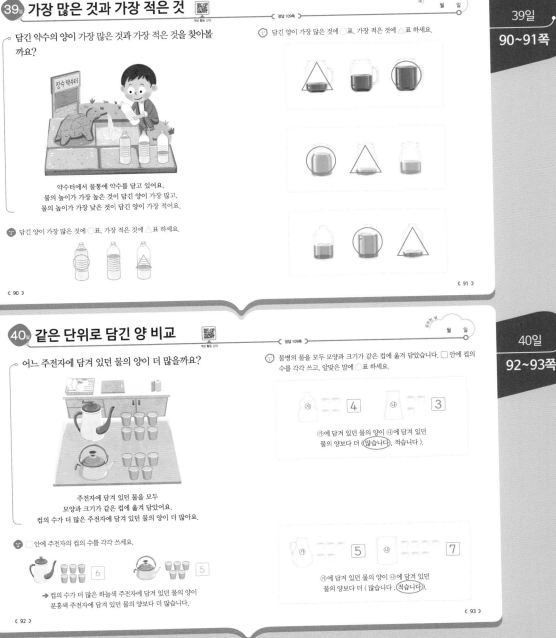

주전자에 담겨 있던 물을 모두
모양과 크기가 같은 컵에 옮겨 담았어요.
컵의 수가 더 많은 주전자에 담겨 있던 물의 양이 더 많아요.

😀 □ 안에 주전자의 컵의 수를 각각 쓰세요.

[6]　　[5]

→ 컵의 수가 더 많은 하늘색 주전자에 담겨 있던 물의 양이
분홍색 주전자에 담겨 있던 물의 양보다 더 많습니다.

① 물병의 물을 모두 모양과 크기가 같은 컵에 옮겨 담았습니다. □ 안에 컵의 수를 각각 쓰고, 알맞은 말에 ○표 하세요.

㉮ [4]　　㉯ [3]

㉮에 담겨 있던 물의 양이 ㉯에 담겨 있던
물의 양보다 더 (많습니다 , 적습니다).

㉮ [5]　　㉯ [7]

㉮에 담겨 있던 물의 양이 ㉯에 담겨 있던
물의 양보다 더 (많습니다 , 적습니다).

《 92 》 　　　　　　《 93 》

40일
92~93쪽

메모

메모

메모

참 잘했어요

이름 _____

위 어린이는 7세 초능력 도형·비교·시계·규칙 1권을
성실하고 훌륭하게 마쳤습니다.
이에 칭찬하여 이 상장을 드립니다.

년   월   일

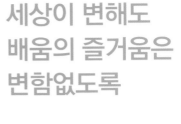

세상이 변해도
배움의 즐거움은
변함없도록

시대는 빠르게 변해도
배움의 즐거움은
변함없어야 하기에

어제의 비상은
남다른 교재부터
결이 다른 콘텐츠
전에 없던 교육 플랫폼까지

변함없는 혁신으로
교육 문화 환경의 새로운 전형을
실현해왔습니다.

비상은 오늘, 다시 한번
새로운 교육 문화 환경을 실현하기 위한
또 하나의 혁신을 시작합니다.

오늘의 내가 어제의 나를 초월하고
오늘의 교육이 어제의 교육을 초월하여
배움의 즐거움을 지속하는 혁신,

바로, 메타인지 기반 완전 학습을.

상상을 실현하는 교육 문화 기업 비상

메타인지 기반 완전 학습

초월을 뜻하는 meta와 생각을 뜻하는 인지가 결합한 메타인지는
자신이 알고 모르는 것을 스스로 구분하고 학습계획을 세우도록 하는
궁극의 학습 능력입니다. 비상의 메타인지 기반 완전 학습 시스템은
잠들어 있는 메타인지를 깨워 공부를 100% 내 것으로 만들도록 합니다.

퀘스트

대관식에 쓸 왕관을 장식할 보석들이 필요해요.

보석은 성 밖에 있는 바위산 절벽과 숲속에서 구할 수 있어요.

단, 주어진 문제를 모두 풀어야만 보석을 얻을 수 있어요!

그럼 지금부터 문제를 차근차근 풀면서

보석을 준비해 볼까요?

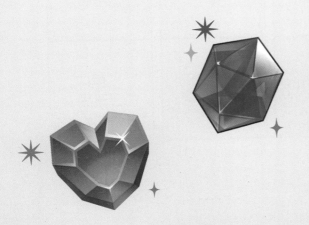

수학 문장제 발전 단계별 구성

수 , 연산 , 도형과 측정 , 자료와 가능성 , 변화와 관계
영역의 다양한 문장제를 해결해 봐요.

1A	1B	2A	2B	3A	3B
9까지의 수	100까지의 수	세 자리 수	네 자리 수	덧셈과 뺄셈	곱셈
여러 가지 모양	덧셈과 뺄셈(1)	여러 가지 도형	곱셈구구	평면도형	나눗셈
덧셈과 뺄셈	모양과 시각	덧셈과 뺄셈	길이 재기	나눗셈	원
비교하기	덧셈과 뺄셈(2)	길이 재기	시각과 시간	곱셈	분수와 소수
50까지의 수	규칙 찾기	분류하기	표와 그래프	길이와 시간	들이와 무게
	덧셈과 뺄셈(3)	곱셈	규칙 찾기	분수와 소수	그림 그래프

교과서 전 단원, 전 영역뿐만 아니라
다양한 시험에 나오는 복잡한 수학 문장제를 분석하고
단계별 풀이를 통해 문제 해결력을 강화해요!

4A	4B	5A	5B	6A	6B
큰 수	분수의 덧셈과 뺄셈	자연수의 혼합 계산	수의 범위와 어림하기	분수의 나눗셈	분수의 나눗셈
각도	사각형	약수와 배수	분수의 곱셈	각기둥과 각뿔	공간과 입체
곱셈과 나눗셈	소수의 덧셈과 뺄셈	대응 관계	합동과 대칭	소수의 나눗셈	소수의 나눗셈
삼각형	다각형	약분과 통분	소수의 곱셈	비와 비율	비례식과 비례배분
막대 그래프	꺾은선 그래프	분수의 덧셈과 뺄셈	직육면체와 정육면체	여러 가지 그래프	원의 둘레와 넓이
관계와 규칙	평면도형의 이동	다각형의 둘레와 넓이	평균과 가능성	직육면체의 부피와 겉넓이	원기둥, 원뿔, 구

특징과 활용법

준비하기
단원별 2쪽 가볍게 몸풀기

그림 속 이야기를 읽어 보면서 간단한 문장으로 된 문제를 풀어 보아요.

일차 학습
하루 6쪽 문장제 학습

종이접기를 하는 데 색종이가 78장 필요
색종이는 10장씩 묶음으로만 판매하고, /
한 묶음에 490원이라고 합니다. /
색종이를 사는 데 필요한 금액은 / 최소 얼
구해야 할 것

문제 속 조건과 구하려는 것을 찾고, 단계별 풀이를 통해 문제 해결력이 쑥쑥~

정답과 해설

정답과 해설을 빠르게 확인하고,
틀린 문제는 다시 풀어요! QR을 찍으면
모바일로도 정답을 확인할 수 있어요.

실력 확인하기
단원별 마무리와 총정리 실력 평가

앞에서 배웠던 문제를 풀면서 실력을 확인해요.
마지막 도전 문제까지 성공하면 최고!

단원 마무리

실력 평가

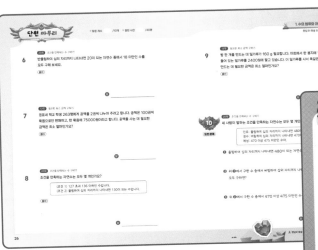

한 권을 모두 끝낸 후엔
실력 평가로 내 실력을 점검해요!

차례

오늘 야구장에 입장한 사람은
23518명이야.
야구장에 입장한 사람 수를
올림하여 천의 자리까지 나타내면
[ ]명이야.

소라의 키는 150.8 cm야.
소라의 키를 반올림하여 일의 자리까지
나타내면 [ ] cm가 돼.

1

종이접기를 하는 데 **색종이가 78장** 필요합니다. /

색종이는 10장씩 묶음으로만 판매하고, /

한 묶음에 490원이라고 합니다. /

색종이를 사는 데 필요한 금액은 / 최소 얼마인가요?

⌐→ 구해야 할 것

**문제
돋보기**

✓ 필요한 색종이의 수는? → ☐ 장

✓ 한 묶음의 색종이의 수는? → ☐ 장

✓ 색종이 한 묶음의 가격은? → ☐ 원

◆ 구해야 할 것은?

→ ＿＿＿＿색종이를 사는 데 필요한 최소 금액＿＿＿＿

**풀이
과정**

❶ 사야 할 색종이는 적어도 몇 묶음?

색종이는 10장씩 묶음으로만 판매하므로 78을 (올림 , 버림 , 반올림)하여

⌐→ 알맞은 말에 ○표 하기

십의 자리까지 나타내면 ☐ 입니다.

색종이를 ☐ 장 사야 하므로 적어도 10장씩 ☐ 묶음을 사야 합니다.

❷ 색종이를 사는 데 필요한 금액은 최소 얼마?

색종이를 적어도 ☐ 묶음 사야 하므로

필요한 금액은 최소 490 × ☐ = ☐ (원)입니다.

답 ＿＿＿＿＿＿＿＿＿＿＿

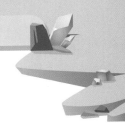

왼쪽 ❶번과 같이 문제에 색칠하고 밑줄을 그어 가며 문제를 풀어 보세요.

1-1 교실 꾸미기를 하는 데 풍선이 142개 필요합니다. / 풍선은 10개씩 묶음으로만 판매하고, / 한 묶음에 1500원이라고 합니다. / 풍선을 사는 데 필요한 금액은 / 최소 얼마인가요?

문제 돋보기

✓ 필요한 풍선의 수는? → ☐ 개

✓ 한 묶음의 풍선의 수는? → ☐ 개

✓ 풍선 한 묶음의 가격은? → ☐ 원

◆ 구해야 할 것은?

→ _____

풀이 과정

❶ 사야 할 풍선은 적어도 몇 묶음?

풍선은 10개씩 묶음으로만 판매하므로 142를 (올림 , 버림 , 반올림)하여

십의 자리까지 나타내면 ☐ 입니다.

풍선을 ☐ 개 사야 하므로 적어도 10개씩 ☐ 묶음을 사야 합니다.

❷ 풍선을 사는 데 필요한 금액은 최소 얼마?

풍선을 적어도 ☐ 묶음 사야 하므로

필요한 금액은 최소 1500 × ☐ = ☐ (원)입니다.

답 _____

문제가 어려웠나요?
- ☐ 어려워요
- ☐ 적당해요
- ☐ 쉬워요

13

 2 유진이네 밭에서 감자를 531 kg 캤습니다. /
이 감자를 10 kg씩 상자에 담아서 /
한 상자에 10000원씩 팔려고 합니다. /
상자에 담은 감자를 모두 판다면 /
받을 수 있는 금액은 / 최대 얼마인가요?
→ 구해야 할 것

문제 돋보기

✓ 캔 감자의 무게는? → ☐ kg

✓ 한 상자에 담을 감자의 무게는? → ☐ kg

✓ 감자 한 상자의 가격은? → ☐ 원

◆ 구해야 할 것은?

→ ___감자를 팔아서 받을 수 있는 최대 금액___

풀이 과정

❶ 팔 수 있는 감자는 최대 몇 상자?

감자를 10 kg씩 상자에 담아서 팔아야 하므로 531을 (올림 , 버림 , 반올림)하여

십의 자리까지 나타내면 ☐ 입니다.

감자 ☐ kg을 10 kg씩 상자에 담으면 최대 ☐ 상자를 팔 수 있습니다.

❷ 감자를 팔아서 받을 수 있는 금액은 최대 얼마?

팔 수 있는 감자는 최대 ☐ 상자이므로 감자를 팔아서 받을 수 있는 금액은

최대 10000 × ☐ = ☐ (원)입니다.

탑 _____

왼쪽 **2**번과 같이 문제에 색칠하고 밑줄을 그어 가며 문제를 풀어 보세요.

2-1 슬기네 과수원에서 귤을 1636개 땄습니다. / 이 귤을 100개씩 상자에 담아서 /
한 상자에 20000원씩 팔려고 합니다. / 상자에 담은 귤을 모두 판다면 /
받을 수 있는 금액은 / 최대 얼마인가요?

문제 돋보기

✓ 딴 귤의 수는? → ☐ 개

✓ 한 상자에 담을 귤의 수는? → ☐ 개

✓ 귤 한 상자의 가격은? → ☐ 원

◆ 구해야 할 것은?

→ _____

풀이 과정

❶ 팔 수 있는 귤은 최대 몇 상자?

귤을 100개씩 상자에 담아서 팔아야 하므로 1636을 (올림 , 버림 , 반올림)하여

백의 자리까지 나타내면 ☐ 입니다.

귤 ☐ 개를 100개씩 상자에 담으면 최대 ☐ 상자를 팔 수 있습니다.

❷ 귤을 팔아서 받을 수 있는 금액은 최대 얼마?

팔 수 있는 귤은 최대 ☐ 상자이므로 귤을 팔아서 받을 수 있는 금액은

최대 20000 × ☐ = ☐ (원)입니다.

답 _____

문제가
어려웠나요?

☐ 어려워요
☐ 적당해요
☐ 쉬워요

문제를 읽고 '연습하기'에서 했던 것처럼 밑줄을 그어 가며 문제를 풀어 보세요.

1 상자를 모두 포장하는 데 포장지가 65장 필요합니다. 포장지는 10장씩 묶음으로만 판매하고, 한 묶음에 890원이라고 합니다. 포장지를 사는 데 필요한 금액은 최소 얼마인가요?

❶ 사야 할 포장지는 적어도 몇 묶음?

❷ 포장지를 사는 데 필요한 금액은 최소 얼마?

답 _____

2 현우네 반 학생들에게 연필 157자루를 나누어 주려고 합니다. 연필은 10자루씩 묶음으로만 판매하고, 한 묶음에 2500원이라고 합니다. 연필을 사는 데 필요한 금액은 최소 얼마인가요?

❶ 사야 할 연필은 적어도 몇 묶음?

❷ 연필을 사는 데 필요한 금액은 최소 얼마?

답 _____

3 진수네 밭에서 가지를 479 kg 땄습니다. 이 가지를 10 kg씩 상자에 담아서 한 상자에 19000원씩 팔려고 합니다. 상자에 담은 가지를 모두 판다면 받을 수 있는 금액은 최대 얼마인가요?

❶ 팔 수 있는 가지는 최대 몇 상자?

❷ 가지를 팔아서 받을 수 있는 금액은 최대 얼마?

답 _____

4 제과점에서 쿠키를 1805개 구웠습니다. 이 쿠키를 100개씩 상자에 담아서 한 상자에 26000원씩 팔려고 합니다. 상자에 담은 쿠키를 모두 판다면 받을 수 있는 금액은 최대 얼마인가요?

❶ 팔 수 있는 쿠키는 최대 몇 상자?

❷ 쿠키를 팔아서 받을 수 있는 금액은 최대 얼마?

답 _____

1

규현이네 학교 5학년 학생들이 체험 학습을 가려면 /

정원이 40명인 버스가 /

적어도 5대 필요합니다. /

규현이네 학교 5학년 학생은 /

몇 명 이상 몇 명 이하인가요?

             ➔ 구해야 할 것

문제 돋보기

✓ 버스 한 대에 탈 수 있는 최대 학생 수는? ➔ ☐ 명

✓ 학생들이 모두 타려면 필요한 버스는 적어도 몇 대? ➔ ☐ 대

◆ 구해야 할 것은?

     ➔ _____ 규현이네 학교 5학년 학생 수의 범위 _____

풀이 과정

❶ 학생이 가장 적을 때의 학생 수는?

$$40 \bigcirc \boxed{} + \boxed{} = \boxed{} (명)$$

   40명씩 4대에 탐. ┘   └ 마지막 버스에 1명만 탐.

❷ 학생이 가장 많을 때의 학생 수는?

$$40 \bigcirc \boxed{} = \boxed{} (명)$$

   └➔ 5대에 모두 40명씩 탐.

❸ 규현이네 학교 5학년 학생 수의 범위는?

규현이네 학교 5학년 학생은 ☐ 명 이상 ☐ 명 이하입니다.

답 _____

왼쪽 ❶번과 같이 문제에 색칠하고 밑줄을 그어 가며 문제를 풀어 보세요.

1-1 지호가 가지고 있는 장난감을 모두 상자에 담으려면 / 9개까지 담을 수 있는 상자가 / 적어도 14개 필요합니다. / 지호가 가지고 있는 장난감은 / 몇 개 이상 몇 개 이하인가요?

문제 돌보기

✓ 한 상자에 담을 수 있는 최대 장난감의 수는? → [ ] 개

✓ 장난감을 모두 담으려면 필요한 상자는 적어도 몇 개? → [ ] 개

◆ 구해야 할 것은?

→ _____

풀이 과정

❶ 장난감이 가장 적을 때의 장난감의 수는?

9 ◯ [ ] + [ ] = [ ] (개)

❷ 장난감이 가장 많을 때의 장난감의 수는?

9 ◯ [ ] = [ ] (개)

❸ 지호가 가지고 있는 장난감의 수의 범위는?

지호가 가지고 있는 장난감은 [ ] 개 이상 [ ] 개 이하입니다.

🅐 _____

문제가 어려웠나요?

☐ 어려워요
☐ 적당해요
☐ 쉬워요

19

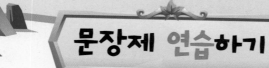
 2 조건을 만족하는 자연수는 / 모두 몇 개인가요?

→ 구해야 할 것

> (조건 1) 45 초과 54 이하인 수입니다.
> (조건 2) 올림하여 십의 자리까지 나타내면 50이 되는 수입니다.

문제 돋보기

✓ (조건 1)의 수의 범위는?

→ ☐ 초과 ☐ 이하인 수

✓ (조건 2)에서 올림하여 십의 자리까지 나타내면 얼마?

→ ☐

◆ 구해야 할 것은?

→ 조건을 만족하는 자연수의 개수

풀이 과정

❶ 45 초과 54 이하인 자연수를 모두 구하면?

45보다 크고 54와 같거나 작은 수는

☐ , ☐ , ☐ , ☐ , 50, 51, 52, 53, 54입니다.

❷ 위 ❶에서 구한 수 중에서 올림하여 십의 자리까지 나타내면 50이 되는 수는 모두 몇 개?

☐ , ☐ , ☐ , ☐ , ☐ (으)로 모두 ☐ 개입니다.

답 _____

왼쪽 **2**번과 같이 문제에 색칠하고 밑줄을 그어 가며 문제를 풀어 보세요.

2-1 조건을 만족하는 자연수는 / 모두 몇 개인가요?

> (조건 1) 35 이상 44 미만인 수입니다.
> (조건 2) 버림하여 십의 자리까지 나타내면 30이 되는 수입니다.

문제 돋보기

✔ (조건 1)의 수의 범위는?

→ ▢ 이상 ▢ 미만인 수

✔ (조건 2)에서 버림하여 십의 자리까지 나타내면 얼마?

→ ▢

◆ 구해야 할 것은?

→ _____

풀이 과정

❶ 35 이상 44 미만인 자연수를 모두 구하면?

35와 같거나 크고 44보다 작은 수는

▢ , ▢ , ▢ , ▢ , 39, 40, 41, 42, 43입니다.

❷ 위 ❶에서 구한 수 중에서 버림하여 십의 자리까지 나타내면 30이 되는 수는

모두 몇 개?

▢ , ▢ , ▢ , ▢ , ▢ (으)로 모두 ▢ 개입니다.

답 _____

문제가
어려웠나요?

☐ 어려워요
☐ 적당해요
☐ 쉬워요

문제를 읽고 '연습하기'에서 했던 것처럼 밑줄을 그어 가며 문제를 풀어 보세요.

1 은미네 학교 5학년 학생들이 모두 보트를 타려면 정원이 20명인 보트가 적어도 12대 필요합니다. 은미네 학교 5학년 학생은 몇 명 이상 몇 명 이하인가요?

❶ 학생이 가장 적을 때의 학생 수는?

❷ 학생이 가장 많을 때의 학생 수는?

❸ 은미네 학교 5학년 학생 수의 범위는?

답 _____

2 재찬이네 공방에서 만든 지갑을 모두 상자에 담으려면 100개까지 담을 수 있는 상자가 적어도 18개 필요합니다. 재찬이네 공방에서 만든 지갑은 몇 개 이상 몇 개 이하인가요?

❶ 지갑이 가장 적을 때의 지갑의 수는?

❷ 지갑이 가장 많을 때의 지갑의 수는?

❸ 재찬이네 공방에서 만든 지갑의 수의 범위는?

답 _____

3 조건을 만족하는 자연수는 모두 몇 개인가요?

> (조건 1) 56 초과 64 이하인 수입니다.
> (조건 2) 올림하여 십의 자리까지 나타내면 60이 되는 수입니다.

❶ 56 초과 64 이하인 자연수를 모두 구하면?

❷ 위 ❶에서 구한 수 중에서 올림하여 십의 자리까지 나타내면 60이 되는 수는 모두 몇 개?

답 _____

4 조건을 만족하는 자연수는 모두 몇 개인가요?

> (조건 1) 71 이상 80 미만인 수입니다.
> (조건 2) 반올림하여 십의 자리까지 나타내면 80이 되는 수입니다.

❶ 71 이상 80 미만인 자연수를 모두 구하면?

❷ 위 ❶에서 구한 수 중에서 반올림하여 십의 자리까지 나타내면 80이 되는 수는 모두 몇 개?

답 _____

12쪽 필요한 최소 금액 구하기

1 서희네 반 학생들에게 구슬 53개를 나누어 주려고 합니다. 구슬은 10개씩 묶음으로만 판매하고, 한 묶음에 3000원이라고 합니다. 구슬을 사는 데 필요한 금액은 최소 얼마인가요?

풀이

답 _____

18쪽 전체 수의 범위 구하기

2 수지네 학교 5학년 학생들이 정원이 10명인 케이블카를 모두 타려면 케이블카는 적어도 7번 운행해야 합니다. 수지네 학교 5학년 학생은 몇 명 이상 몇 명 이하인가요?

풀이

답 _____

14쪽 받을 수 있는 최대 금액 구하기

3 솜사탕 가게에 설탕이 649 g 있습니다. 솜사탕 한 개를 만드는 데 설탕이 10 g 필요하고 솜사탕은 한 개에 2000원씩 팔려고 합니다. 만든 솜사탕을 모두 판다면 받을 수 있는 금액은 최대 얼마인가요?

풀이

답 _____

4

18쪽 전체 수의 범위 구하기

나래네 마을 사람들이 8명까지 앉을 수 있는 긴 의자에 모두 앉으려면 긴 의자가 적어도 22개 필요합니다. 나래네 마을 사람은 몇 명 이상 몇 명 이하인가요?

풀이

답 _____

5

14쪽 받을 수 있는 최대 금액 구하기

색 테이프 2546 cm를 1 m 단위로 팔려고 합니다. 1 m에 1700원씩 판다면 색 테이프를 팔아서 받을 수 있는 금액은 최대 얼마인가요?

풀이

답 _____

20쪽 조건을 만족하는 수 구하기

6 반올림하여 십의 자리까지 나타내면 20이 되는 자연수 중에서 18 미만인 수를
모두 구해 보세요.

(풀이)

답 _____

12쪽 필요한 최소 금액 구하기

7 경표네 학교 학생 263명에게 공책을 2권씩 나누어 주려고 합니다. 공책은 100권씩
묶음으로만 판매하고, 한 묶음에 75000원이라고 합니다. 공책을 사는 데 필요한
금액은 최소 얼마인가요?

(풀이)

답 _____

20쪽 조건을 만족하는 수 구하기

8 조건을 만족하는 자연수는 모두 몇 개인가요?

> (조건 1) 127 초과 136 이하인 수입니다.
> (조건 2) 올림하여 십의 자리까지 나타내면 130이 되는 수입니다.

(풀이)

답 _____

12쪽 필요한 최소 금액 구하기

9 빵 한 개를 만드는 데 밀가루가 160 g 필요합니다. 마트에서 한 봉지에 1000 g씩 들어 있는 밀가루를 2400원에 팔고 있습니다. 이 밀가루를 사서 똑같은 빵 20개를 만드는 데 필요한 금액은 최소 얼마인가요?

풀이

답 _____

20쪽 조건을 만족하는 수 구하기

10

도전 문제

세 사람이 말하는 조건을 만족하는 자연수는 모두 몇 개인가요?

> 민유: 올림하여 십의 자리까지 나타내면 480이 되는 수야.
> 정수: 버림하여 십의 자리까지 나타내면 470이 되는 수야.
> 예성: 470 이상 475 미만인 수야.

❶ 올림하여 십의 자리까지 나타내면 480이 되는 자연수를 모두 구하면?

❷ 위 ❶에서 구한 수 중에서 버림하여 십의 자리까지 나타내면 470이 되는 수를 모두 구하면?

❸ 위 ❷에서 구한 수 중에서 470 이상 475 미만인 수는 모두 몇 개?

답 _____

함께 풀어 봐요!

보석을 찾으며 빈칸에 알맞은 수나 기호를 써 보세요.

1분에 $\dfrac{4}{5}$ km를 가는 오토바이는

12분에 $\dfrac{4}{5}$ ◯ ▢ = ▢ (km)를

갈 수 있어.

은혁이는 매일 $1\dfrac{5}{8}$ km씩 달렸어.

은혁이가 일주일 동안 달린 거리는

$1\dfrac{5}{8}$ ◯ ▢ = ▢ (km)야.

넓이가 $8\dfrac{3}{10}$ m²인 텃밭의 $\dfrac{5}{12}$ 에
상추를 심으면
상추를 심은 부분의 넓이는

$\boxed{} \times \boxed{} = \boxed{}$ (m²)가 돼.

문장제 연습하기

✦남은 양 구하기

1 주희네 집에 쌀이 20 kg 있었습니다. /

주희네 가족이 전체 쌀의 $\frac{2}{5}$를 먹었다면 /

먹고 남은 쌀은 몇 kg인가요?

    → 구해야 할 것

문제 돋보기

✓ 주희네 집에 있던 쌀의 무게는? → ☐ kg

✓ 주희네 가족이 먹은 쌀은 전체 쌀의 얼마? → ☐

◆ 구해야 할 것은?

→ _____ 주희네 가족이 먹고 남은 쌀의 무게

풀이 과정

❶ 주희네 가족이 먹고 남은 쌀은 전체 쌀의 얼마?

전체를 1이라 하면

주희네 가족이 먹고 남은 쌀은 전체 쌀의 1 − ☐ = ☐ 입니다.

❷ 주희네 가족이 먹고 남은 쌀의 무게는?

20 × ☐ = ☐ (kg)

답 _____

왼쪽 ❶번과 같이 문제에 색칠하고 밑줄을 그어 가며 문제를 풀어 보세요.

1-1 수정이는 집에서 $2\frac{1}{10}$ km 떨어진 할머니 댁에 갔습니다. / 전체 거리의 $\frac{2}{3}$ 는 버스를 타고, /

나머지는 걸어갔다면 / 수정이가 걸어간 거리는 몇 km인가요?

문제 돌보기

✓ 수정이네 집에서 할머니 댁까지의 거리는? → [ ] km

✓ 수정이가 버스를 탄 거리는 전체 거리의 얼마? → [ ]

◆ 구해야 할 것은?

→ _____

풀이 과정

❶ 수정이가 걸어간 거리는 전체 거리의 얼마?

전체를 1이라 하면

수정이가 걸어간 거리는 전체 거리의 1 − [ ] = [ ] 입니다.

❷ 수정이가 걸어간 거리는?

$2\frac{1}{10} \times$ [ ] = [ ] (km)

탑 _____

문제가
어려웠나요?
☐ 어려워요
☐ 적당해요
☐ 쉬워요

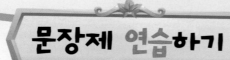

◆ 처음의 양 구하기

2 인서가 가지고 있던 철사의 $\frac{7}{8}$을 사용했더니 /

$10\frac{1}{2}$ cm가 남았습니다. /

인서가 처음에 가지고 있던 철사는 몇 cm인가요?

→ 구해야 할 것

문제 돋보기

✓ 인서가 사용한 철사는 처음에 가지고 있던 철사의 얼마? → ☐

✓ 인서가 사용하고 남은 철사의 길이는? → ☐ cm

◆ 구해야 할 것은?

→ _____ 인서가 처음에 가지고 있던 철사의 길이

풀이 과정

❶ 인서가 사용하고 남은 철사는 처음에 가지고 있던 철사의 얼마?

전체를 1이라 하면 인서가 사용하고 남은 철사는

처음에 가지고 있던 철사의 1 − ☐ = ☐ 입니다.

❷ 인서가 처음에 가지고 있던 철사의 길이는?

인서가 처음에 가지고 있던 철사를 ■ cm라 하면

■의 $\frac{1}{8}$이 ☐ 이므로 ■는 ☐ ×8= ☐ 입니다.

따라서 인서가 처음에 가지고 있던 철사는 ☐ cm입니다.

답 _____

34

왼쪽 **2**번과 같이 문제에 색칠하고 밑줄을 그어 가며 문제를 풀어 보세요.

2-1 혜지가 가지고 있던 밀가루의 $\frac{8}{9}$을 사용하여 빵을 만들었더니 / $1\frac{4}{5}$ kg이 남았습니다. /

혜지가 처음에 가지고 있던 밀가루는 몇 kg인가요?

문제
돋보기

✓ 혜지가 빵을 만드는 데 사용한 밀가루는 처음에 가지고 있던 밀가루의 얼마? → ☐

✓ 혜지가 빵을 만들고 남은 밀가루의 무게는? → ☐ kg

◆ 구해야 할 것은?

→ _____

풀이
과정

❶ 혜지가 빵을 만들고 남은 밀가루는 처음에 가지고 있던 밀가루의 얼마?

전체를 1이라 하면 혜지가 빵을 만들고 남은 밀가루는

처음에 가지고 있던 밀가루의 1 − ☐ = ☐ 입니다.

❷ 혜지가 처음에 가지고 있던 밀가루의 무게는?

혜지가 처음에 가지고 있던 밀가루를 ■ kg이라 하면

■의 $\frac{1}{9}$이 ☐ 이므로 ■는 ☐ ×9= ☐ 입니다.

따라서 혜지가 처음에 가지고 있던 밀가루는 ☐ kg입니다.

답 _____

문제가
어려웠나요?

☐ 어려워요

☐ 적당해요

☐ 쉬워요

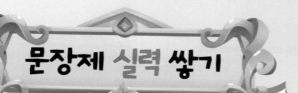

문제를 읽고 '연습하기'에서 했던 것처럼 밑줄을 그어 가며 문제를 풀어 보세요.

1 다은이네 집에 보리가 16 kg 있었습니다. 다은이네 가족이 전체 보리의 $\frac{3}{8}$을 먹었다면 먹고 남은 보리는 몇 kg인가요?

❶ 다은이네 가족이 먹고 남은 보리는 전체 보리의 얼마?

❷ 다은이네 가족이 먹고 남은 보리의 무게는?

답 _____

2 연호는 길이가 $1\frac{7}{12}$ m인 리본을 가지고 있었습니다. 선물을 포장하는 데 전체 리본의 $\frac{4}{7}$를 사용하고, 나머지는 장식품을 만드는 데 사용했습니다. 연호가 장식품을 만드는 데 사용한 리본은 몇 m인가요?

❶ 연호가 장식품을 만드는 데 사용한 리본은 전체 리본의 얼마?

❷ 연호가 장식품을 만드는 데 사용한 리본의 길이는?

답 _____

3 빛나가 냉장고에 있던 우유의 $\dfrac{4}{5}$를 마셨더니 $\dfrac{3}{10}$ L가 남았습니다. 처음에 냉장고에 있던

우유는 몇 L인가요?

❶ 빛나가 마시고 남은 우유는 처음에 냉장고에 있던 우유의 얼마?

❷ 처음에 냉장고에 있던 우유의 양은?

답 _____

4 미주가 가지고 있던 찰흙의 $\dfrac{3}{4}$을 사용하여 미술 작품을 만들었더니 $1\dfrac{5}{16}$ kg이 남았습니다.

미주가 처음에 가지고 있던 찰흙은 몇 kg인가요?

❶ 미주가 사용하고 남은 찰흙은 처음에 가지고 있던 찰흙의 얼마?

❷ 미주가 처음에 가지고 있던 찰흙의 무게는?

답 _____

1 길이가 $\dfrac{14}{15}$ cm인 색 테이프 3장을 /

$\dfrac{1}{5}$ cm씩 겹치게 한 줄로 이어 붙였습니다. /

이어 붙인 색 테이프의 전체 길이는 몇 cm인가요?

⟶ 구해야 할 것

 문제 돌보기

✔ 색 테이프 1장의 길이는? → ☐ cm

✔ 이어 붙인 색 테이프의 수는? → ☐ 장

✔ 색 테이프가 겹쳐진 한 부분의 길이는? → ☐ cm

◆ 구해야 할 것은?

→ _____ 이어 붙인 색 테이프의 전체 길이

풀이 과정

❶ 색 테이프 3장의 길이의 합은?

☐ ×3= ☐ (cm)

❷ 색 테이프가 겹쳐진 부분의 길이의 합은?

색 테이프 3장을 이어 붙이면 겹쳐진 부분은 3−1= ☐ (군데)이므로

색 테이프가 겹쳐진 부분의 길이의 합은 $\dfrac{1}{5}$ × ☐ = ☐ (cm)입니다.

❸ 이어 붙인 색 테이프의 전체 길이는?

☐ − ☐ = ☐ (cm)

└ 색 테이프 3장의 길이의 합   └ 색 테이프가 겹쳐진 부분의 길이의 합

답 _____

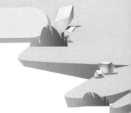

왼쪽 **1**번과 같이 문제에 색칠하고 밑줄을 그어 가며 문제를 풀어 보세요.

1-1 길이가 $1\dfrac{5}{12}$ cm인 색 테이프 4장을 / $\dfrac{1}{9}$ cm씩 겹치게 한 줄로 이어 붙였습니다. /

이어 붙인 색 테이프의 전체 길이는 몇 cm인가요?

문제 돋보기

✓ 색 테이프 1장의 길이는? → ☐ cm

✓ 이어 붙인 색 테이프의 수는? → ☐ 장

✓ 색 테이프가 겹쳐진 한 부분의 길이는? → ☐ cm

◆ 구해야 할 것은?

→ _____

풀이 과정

❶ 색 테이프 4장의 길이의 합은?

☐ × 4 = ☐ (cm)

❷ 색 테이프가 겹쳐진 부분의 길이의 합은?

색 테이프 4장을 이어 붙이면 겹쳐진 부분은 4 − 1 = ☐ (군데)이므로

색 테이프가 겹쳐진 부분의 길이의 합은 $\dfrac{1}{9}$ × ☐ = ☐ (cm)입니다.

❸ 이어 붙인 색 테이프의 전체 길이는?

☐ − ☐ = ☐ (cm)

🔺 답 _____

문제가
어려웠나요?

☐ 어려워요

☐ 적당해요

☐ 쉬워요

1분 동안 ㉮ 수도꼭지에서는 $3\frac{1}{3}$ L씩, /

㉯ 수도꼭지에서는 $4\frac{2}{5}$ L씩 /

물이 일정하게 나옵니다. /

두 수도꼭지를 동시에 틀어서 /

2분 30초 동안 받을 수 있는 물은 / 모두 몇 L인가요?

→ 구해야 할 것

문제 돌보기

✓ 1분 동안 ㉮ 수도꼭지에서 나오는 물의 양은? → ☐ L

✓ 1분 동안 ㉯ 수도꼭지에서 나오는 물의 양은? → ☐ L

◆ 구해야 할 것은?

→ 두 수도꼭지를 동시에 틀어서 2분 30초 동안 받을 수 있는 물의 양

풀이 과정

❶ 두 수도꼭지를 동시에 틀어서 1분 동안 받을 수 있는 물의 양은?

$3\frac{1}{3} + \boxed{} = \boxed{}$ (L)

❷ 2분 30초를 분 단위로 나타내면?

2분 30초 $= 2\frac{\boxed{}}{60}$분 $= 2\frac{\boxed{}}{2}$분

❸ 두 수도꼭지를 동시에 틀어서 2분 30초 동안 받을 수 있는 물의 양은?

$\boxed{} \times 2\frac{\boxed{}}{2} = \frac{\boxed{}}{15} \times \frac{\boxed{}}{2} = \frac{\boxed{}}{3} = \boxed{}$ (L)

답 _____

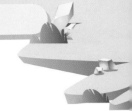

> 왼쪽 ❷번과 같이 문제에 색칠하고 밑줄을 그어 가며 문제를 풀어 보세요.

2-1 1분에 지훈이는 $57\frac{4}{9}$ m를 가는 빠르기로 걷고, / 유정이는 $60\frac{1}{2}$ m를 가는 빠르기로

걸었습니다. / 두 사람이 같은 곳에서 같은 방향으로 동시에 출발했다면 / 3분 12초 후에

두 사람 사이의 거리는 몇 m인가요?

문제 돋보기

✓ 1분에 지훈이가 걷는 거리는? → ☐ m

✓ 1분에 유정이가 걷는 거리는? → ☐ m

◆ 구해야 할 것은?

→ _____

풀이 과정

❶ 1분 후에 두 사람 사이의 거리는?

$$60\frac{1}{2} - \boxed{} = \boxed{} \text{ (m)}$$

❷ 3분 12초를 분 단위로 나타내면?

$$3\text{분 } 12\text{초} = 3\frac{\boxed{}}{60}\text{분} = 3\frac{\boxed{}}{5}\text{분}$$

❸ 3분 12초 후에 두 사람 사이의 거리는?

$$\boxed{} \times 3\frac{\boxed{}}{5} = \frac{\boxed{}}{18} \times \frac{\boxed{}}{5} = \frac{\boxed{}}{9} = \boxed{} \text{ (m)}$$

답 _____

문제가
어려웠나요?

☐ 어려워요
☐ 적당해요
☐ 쉬워요

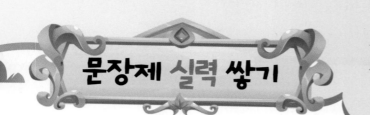
문제를 읽고 '연습하기'에서 했던 것처럼 밑줄을 그어 가며 문제를 풀어 보세요.

1 길이가 $2\dfrac{2}{9}$ cm인 색 테이프 3장을 $\dfrac{5}{6}$ cm씩 겹치게 한 줄로 이어 붙였습니다.

이어 붙인 색 테이프의 전체 길이는 몇 cm인가요?

❶ 색 테이프 3장의 길이의 합은?

❷ 색 테이프가 겹쳐진 부분의 길이의 합은?

❸ 이어 붙인 색 테이프의 전체 길이는?

탑 _____

2 길이가 $4\dfrac{3}{8}$ cm인 색 테이프 6장을 $1\dfrac{8}{15}$ cm씩 겹치게 한 줄로 이어 붙였습니다.

이어 붙인 색 테이프의 전체 길이는 몇 cm인가요?

❶ 색 테이프 6장의 길이의 합은?

❷ 색 테이프가 겹쳐진 부분의 길이의 합은?

❸ 이어 붙인 색 테이프의 전체 길이는?

탑 _____

3 물통에 1분 동안 $4\frac{3}{4}$ L씩 물이 일정하게 나오는 수도꼭지로 물을 받으려고 합니다.

이 물통에 구멍이 나서 1분 동안 $1\frac{7}{10}$ L씩 물이 샌다면 1분 20초 동안 받을 수 있는

물은 몇 L인가요?

❶ 물통에 1분 동안 받을 수 있는 물의 양은?

❷ 1분 20초를 분 단위로 나타내면?

❸ 물통에 1분 20초 동안 받을 수 있는 물의 양은?

답 _____

4 1시간에 각각 $18\frac{2}{3}$ km, $17\frac{5}{9}$ km의 빠르기로 달리는 두 자전거가 있습니다. 두 자전거가

일정한 빠르기로 같은 곳에서 반대 방향으로 동시에 출발했다면 1시간 45분 후에

두 자전거 사이의 거리는 몇 km인가요?

❶ 1시간 후에 두 자전거 사이의 거리는?

❷ 1시간 45분을 시간 단위로 나타내면?

❸ 1시간 45분 후에 두 자전거 사이의 거리는?

답 _____

문장제 연습하기 ✦튀어 오른 공의 높이 구하기

1 떨어진 높이의 $\dfrac{3}{4}$만큼 /

튀어 오르는 공이 있습니다. /

이 공을 100 cm 높이에서 떨어뜨렸을 때 /

공이 두 번째로 튀어 오르는 높이는 /

몇 cm인가요? ──→ 구해야 할 것

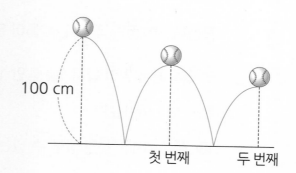

100 cm

첫 번째　　두 번째

문제 돋보기

✓ 공이 튀어 오르는 높이는 떨어진 높이의 얼마? →

✓ 처음 공을 떨어뜨린 높이는? → ☐ cm

◆ 구해야 할 것은?

→ _____공이 두 번째로 튀어 오르는 높이_____

풀이 과정

❶ 공이 첫 번째로 튀어 오르는 높이는?

☐ $\times \dfrac{3}{4}=$ ☐ (cm)
└→ 처음 공을 떨어뜨린 높이

❷ 공이 두 번째로 튀어 오르는 높이는?

☐ $\times \dfrac{3}{4}=$ ☐ (cm)
└→ 공이 첫 번째로 튀어 오르는 높이

답 _____

44

왼쪽 ❶번과 같이 문제에 색칠하고 밑줄을 그어 가며 문제를 풀어 보세요.

1-1 떨어진 높이의 $\dfrac{2}{3}$ 만큼 / 튀어 오르는 공이

있습니다. / 이 공을 $\dfrac{21}{22}$ m 높이에서

떨어뜨렸을 때 / 공이 세 번째로

튀어 오르는 높이는 / 몇 m인가요?

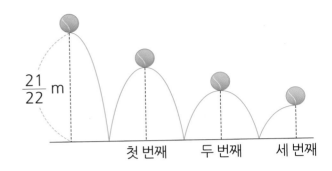

첫 번째   두 번째   세 번째

문제 돋보기

✓ 공이 튀어 오르는 높이는 떨어진 높이의 얼마? → [   ]

✓ 처음 공을 떨어뜨린 높이는? → [   ] m

◆ 구해야 할 것은?

→ _____

풀이 과정

❶ 공이 첫 번째로 튀어 오르는 높이는?

[   ] × $\dfrac{2}{3}$ = [   ] (m)

❷ 공이 두 번째로 튀어 오르는 높이는?

[   ] × $\dfrac{2}{3}$ = [   ] (m)

❸ 공이 세 번째로 튀어 오르는 높이는?

[   ] × $\dfrac{2}{3}$ = [   ] (m)

답 _____

문제가
어려웠나요?

☐ 어려워요

☐ 적당해요

☐ 쉬워요

45

2

하루에 $1\frac{1}{6}$ 분씩 빨라지는 시계가 있습니다. /

이 시계를 오늘 오전 9시에 정확하게 맞추었다면 /

5일 후 오전 9시에 / 이 시계가 가리키는 시각은 /

오전 몇 시 몇 분 몇 초인가요? → 구해야 할 것

문제 돋보기

✓ 시계가 하루에 빨라지는 시간은? → ☐ 분

✓ 오늘 시계를 정확하게 맞춘 시각은? → 오전 ☐ 시

◆ 구해야 할 것은?

→ _5일 후 오전 9시에 이 시계가 가리키는 시각_

풀이 과정

❶ 5일 동안 빨라지는 시간은?

☐ × 5 = $\dfrac{☐}{6}$ × 5 = $\dfrac{☐}{6}$ = $5\dfrac{☐}{6}$ (분)
  └→ 하루에 빨라지는 시간

❷ 위 ❶에서 구한 시간을 몇 분 몇 초로 나타내면?

$5\dfrac{☐}{6}$ 분 = $5\dfrac{☐}{60}$ 분 = ☐ 분 ☐ 초

❸ 5일 후 오전 9시에 이 시계가 가리키는 시각은?

오전 9시 + ☐ 분 ☐ 초 = 오전 9시 ☐ 분 ☐ 초

답 _____

46

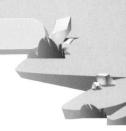

왼쪽 **2**번과 같이 문제에 색칠하고 밑줄을 그어 가며 문제를 풀어 보세요.

2-1 하루에 $1\frac{1}{3}$분씩 느려지는 시계가 있습니다. / 이 시계를 오늘 오후 11시에 정확하게 맞추었다면 / 4일 후 오후 11시에 / 이 시계가 가리키는 시각은 / 오후 몇 시 몇 분 몇 초인가요?

문제 돋보기

✔ 시계가 하루에 느려지는 시간은? → ☐ 분

✔ 오늘 시계를 정확하게 맞춘 시각은? → 오후 ☐ 시

◆ 구해야 할 것은?

→ _____

풀이 과정

❶ 4일 동안 느려지는 시간은?

$$\boxed{} \times 4 = \frac{\boxed{}}{3} \times 4 = \frac{\boxed{}}{3} = 5\frac{\boxed{}}{3} \text{(분)}$$

❷ 위 ❶에서 구한 시간을 몇 분 몇 초로 나타내면?

$$5\frac{\boxed{}}{3}\text{분} = 5\frac{\boxed{}}{60}\text{분} = \boxed{}\text{분}\ \boxed{}\text{초}$$

❸ 4일 후 오후 11시에 이 시계가 가리키는 시각은?

오후 11시 − ☐ 분 ☐ 초 = 오후 ☐ 시 ☐ 분 ☐ 초

답 _____

문제가 어려웠나요?

☐ 어려워요
☐ 적당해요
☐ 쉬워요

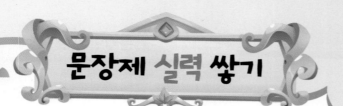

문제를 읽고 '연습하기'에서 했던 것처럼 밑줄을 그어 가며 문제를 풀어 보세요.

1 떨어진 높이의 $\dfrac{3}{8}$ 만큼 튀어 오르는 공이 있습니다. 이 공을 $4\dfrac{2}{9}$ m 높이에서

떨어뜨렸을 때 공이 두 번째로 튀어 오르는 높이는 몇 m인가요?

❶ 공이 첫 번째로 튀어 오르는 높이는?

❷ 공이 두 번째로 튀어 오르는 높이는?

답 _____

2 떨어진 높이의 $\dfrac{4}{5}$ 만큼 튀어 오르는 공이 있습니다. 이 공을 150 cm 높이에서

떨어뜨렸을 때 공이 세 번째로 튀어 오르는 높이는 몇 cm인가요?

❶ 공이 첫 번째로 튀어 오르는 높이는?

❷ 공이 두 번째로 튀어 오르는 높이는?

❸ 공이 세 번째로 튀어 오르는 높이는?

답 _____

3 하루에 $2\frac{1}{4}$분씩 빨라지는 시계가 있습니다. 이 시계를 오늘 오후 10시에 정확하게

맞추었다면 일주일 후 오후 10시에 이 시계가 가리키는 시각은 오후 몇 시 몇 분 몇 초인가요?

❶ 일주일 동안 빨라지는 시간은?

❷ 위 ❶에서 구한 시간을 몇 분 몇 초로 나타내면?

❸ 일주일 후 오후 10시에 이 시계가 가리키는 시각은?

답 _____

4 하루에 $1\frac{5}{12}$분씩 느려지는 시계가 있습니다. 이 시계를 오늘 오전 7시에 정확하게

맞추었다면 10일 후 오전 7시에 이 시계가 가리키는 시각은 오전 몇 시 몇 분 몇 초인가요?

❶ 10일 동안 느려지는 시간은?

❷ 위 ❶에서 구한 시간을 몇 분 몇 초로 나타내면?

❸ 10일 후 오전 7시에 이 시계가 가리키는 시각은?

답 _____

40쪽 시간을 분수로 나타내어 곱 구하기

1 한 시간에 60 km를 달리는 승용차가 있습니다. 같은 빠르기로 이 승용차가 1시간 15분 동안 달리는 거리는 몇 km인가요?

(풀이)

답 _____

44쪽 튀어 오른 공의 높이 구하기

2 떨어진 높이의 $\dfrac{3}{7}$만큼 튀어 오르는 공이 있습니다. 이 공을 70 cm 높이에서 떨어뜨렸을 때 첫 번째로 튀어 오르는 높이는 몇 cm인가요?

(풀이)

답 _____

32쪽 남은 양 구하기

3 물통에 물이 3 L 들어 있었습니다. 도연이가 전체 물의 $\dfrac{5}{12}$를 마셨다면 마시고 남은 물은 몇 L인가요?

(풀이)

답 _____

4 **34쪽** 처음의 양 구하기

서현이네 집에 있던 고구마의 $\dfrac{3}{4}$을 이웃집에 나누어 주었더니 $1\dfrac{3}{10}$ kg이 남았습니다. 서현이네 집에 처음에 있던 고구마는 몇 kg인가요?

(풀이)

(답) _____

5 **46쪽** 빨라지는(느려지는) 시계가 가리키는 시각 구하기

하루에 $\dfrac{7}{15}$분씩 빨라지는 시계가 있습니다. 이 시계를 오늘 오전 8시에 정확하게 맞추었다면 3일 후 오전 8시에 이 시계가 가리키는 시각은 오전 몇 시 몇 분 몇 초 인가요?

(풀이)

(답) _____

38쪽 이어 붙인 색 테이프의 전체 길이 구하기

6 길이가 $3\frac{5}{8}$ cm인 색 테이프 3장을 $1\frac{1}{2}$ cm씩 겹치게 한 줄로 이어 붙였습니다.
이어 붙인 색 테이프의 전체 길이는 몇 cm인가요?

(풀이)

답 _____

46쪽 빨라지는(느려지는) 시계가 가리키는 시각 구하기

7 하루에 $1\frac{1}{4}$ 분씩 느려지는 시계가 있습니다. 이 시계를 오늘 오후 5시에 정확하게
맞추었다면 30일 후 오후 5시에 이 시계가 가리키는 시각은 오후 몇 시 몇 분 몇 초
인가요?

(풀이)

답 _____

40쪽 시간을 분수로 나타내어 곱 구하기

8 1분 동안 각각 $1\frac{9}{10}$ L, $2\frac{3}{5}$ L의 물이 일정하게 나오는 두 수도꼭지가 있습니다.
두 수도꼭지를 동시에 틀어서 6분 40초 동안 받을 수 있는 물은 모두 몇 L인가요?

(풀이)

답 _____

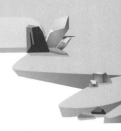

왼쪽 **1** 번과 같이 문제에 색칠하고 밑줄을 그어 가며 문제를 풀어 보세요.

1-1 점대칭도형인 숫자를 한 번씩만 사용하여 / 세 자리 수를 만들려고 합니다. /
만들 수 있는 수 중에서 / 가장 작은 수를 구해 보세요.

$$1\ 2\ 3\ 5\ 7\ 9$$

문제 돋보기

◆ 구해야 할 것은?

→ _____

✓ 주어진 숫자 중에서 찾아야 할 숫자는?
　→ (선대칭도형 , 점대칭도형)인 숫자를 찾아야 합니다.

✓ 가장 작은 세 자리 수를 만들려면?
　→ 높은 자리부터 (큰 , 작은) 수를 차례대로 놓습니다.

풀이 과정

❶ 점대칭도형인 숫자를 찾으면?

점대칭도형인 숫자를 찾으면 ☐ , ☐ , ☐ 입니다.

❷ 점대칭도형인 숫자로 만들 수 있는 가장 작은 세 자리 수는?

☐ < ☐ < ☐ 이므로 작은 숫자부터 차례대로 백, 십, 일의 자리에 놓으면

☐ 입니다.

답 _____

문제가
어려웠나요?
☐ 어려워요
☐ 적당해요
☐ 쉬워요

문장제 연습하기

2 오른쪽과 같이 **직사각형 모양의 종이를 접었습니다.** /
각 ㄹㅂㄷ의 크기는 몇 도인가요?

━━→ 구해야 할 것

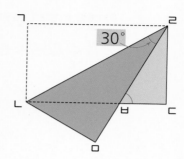

문제 돋보기

✓ 접기 전의 종이의 모양은? →

✓ 각 ㅁㄹㄴ의 크기는? → ☐°

◆ 구해야 할 것은?

→ _____ 각 ㄹㅂㄷ의 크기

풀이 과정

❶ 각 ㄱㄹㄴ의 크기는?

삼각형 ㄱㄹㄴ과 삼각형 ㅁㄹㄴ은 서로 합동이므로

(각 ㄱㄹㄴ)=(각 ㅁㄹㄴ)= ☐°입니다.

❷ 각 ㅂㄹㄷ의 크기는?

직사각형의 한 각의 크기는 90°이므로 (각 ㄱㄹㄷ)= ☐°이고

(각 ㅂㄹㄷ)=90°− ☐°− ☐°= ☐°입니다.

　　　　　　└ 각 ㄱㄹㄴ의 크기 └ 각 ㅁㄹㄴ의 크기

❸ 각 ㄹㅂㄷ의 크기는?

삼각형 ㄹㅂㄷ에서 (각 ㄹㄷㅂ)= ☐°이므로

(각 ㄹㅂㄷ)=180°− ☐°− ☐°= ☐°입니다.

　　　　　　└ 각 ㅂㄹㄷ의 크기 └ 각 ㄹㄷㅂ의 크기

답 _____

왼쪽 **2** 번과 같이 문제에 색칠하고 밑줄을 그어 가며 문제를 풀어 보세요.

2-1 오른쪽과 같이 삼각형 모양의 종이를 접었습니다. /
각 ㅁㄹㅂ의 크기는 몇 도인가요?

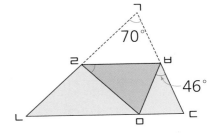

문제 돋보기

✓ 접기 전의 종이의 모양은? → ☐

✓ 각 ㄹㄱㅂ의 크기는? → ☐°

✓ 각 ㅁㅂㄷ의 크기는? → ☐°

◆ 구해야 할 것은?

→ _____

풀이 과정

❶ 각 ㄹㅁㅂ의 크기는?

삼각형 ㄹㄱㅂ과 삼각형 ㄹㅁㅂ은 서로 합동이므로

(각 ㄹㅁㅂ)=(각 ㄹㄱㅂ)= ☐ °입니다.

❷ 각 ㄹㅂㅁ의 크기는?

일직선은 180°이므로 (각 ㄹㅂㄱ)+(각 ㄹㅂㅁ)+46°=180°이고

(각 ㄹㅂㄱ)=(각 ㄹㅂㅁ)이므로 (각 ㄹㅂㅁ)= ☐ °÷2= ☐ °입니다.

❸ 각 ㅁㄹㅂ의 크기는?

삼각형 ㄹㅁㅂ에서 (각 ㅁㄹㅂ)=180°−70°− ☐ °= ☐ °입니다.

답 _____

문제가
어려웠나요?

☐ 어려워요

☐ 적당해요

☐ 쉬워요

문제를 읽고 '연습하기'에서 했던 것처럼 밑줄을 그어 가며 문제를 풀어 보세요.

1 선대칭도형인 숫자를 한 번씩만 사용하여 세 자리 수를
만들려고 합니다. 만들 수 있는 수 중에서 가장 큰 수를
구해 보세요.

134678

❶ 선대칭도형인 숫자를 찾으면?

❷ 선대칭도형인 숫자로 만들 수 있는 가장 큰 세 자리 수는?

답 _____

2 점대칭도형인 숫자를 한 번씩만 사용하여 세 자리 수를
만들려고 합니다. 만들 수 있는 수 중에서 가장 작은
수를 구해 보세요.

013589

❶ 점대칭도형인 숫자를 찾으면?

❷ 점대칭도형인 숫자로 만들 수 있는 가장 작은 세 자리 수는?

답 _____

3 오른쪽과 같이 정사각형 모양의 종이를 접었습니다.
각 ㄴㅂㅁ의 크기는 몇 도인가요?

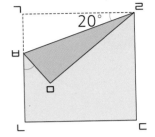

❶ 각 ㄱㅂㄹ의 크기는?

❷ 각 ㅁㅂㄹ의 크기는?

❸ 각 ㄴㅂㅁ의 크기는?

답 _____

4 오른쪽과 같이 정삼각형 모양의 종이를 접었습니다.
각 ㄴㅁㄹ의 크기는 몇 도인가요?

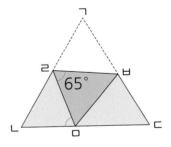

❶ 각 ㄱㄹㅂ의 크기는?

❷ 각 ㄴㄹㅁ의 크기는?

❸ 각 ㄴㅁㄹ의 크기는?

답 _____

1 오른쪽 **삼각형 ㄱㄴㄷ은 선분 ㄱㄹ을 대칭축으로 하는 선대칭도형입니다.** /

삼각형 ㄱㄴㄷ의 넓이는 몇 cm²인가요?

⌞⟶ 구해야 할 것

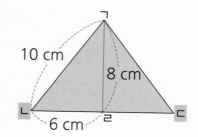

문제 돋보기

◆ 구해야 할 것은?

→ ＿＿＿＿＿＿＿＿ 삼각형 ㄱㄴㄷ의 넓이 ＿＿＿＿＿＿＿＿

✓ 삼각형 ㄱㄴㄷ의 높이는? → 선분 ☐

✓ 삼각형 ㄱㄴㄷ의 밑변은? → 변 ☐

풀이 과정

❶ 삼각형 ㄱㄴㄷ의 밑변의 길이는?

선대칭도형에서 대응변의 길이가 서로 같으므로

(선분 ㄷㄹ)＝(선분 ㄴㄹ)＝☐ cm이고

(변 ㄴㄷ)＝6＋☐＝☐ (cm)입니다.

선분 ㄴㄹ의 길이 ⌞ ⌞→ 선분 ㄷㄹ의 길이

❷ 삼각형 ㄱㄴㄷ의 넓이는?

삼각형 ㄱㄴㄷ의 밑변의 길이는 ☐ cm이고 높이는 8 cm이므로

넓이는 ☐ ×8÷2＝☐ (cm²)입니다.

답 ＿＿＿＿＿＿＿＿＿＿＿

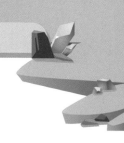

> 왼쪽 ❶번과 같이 문제에 색칠하고 밑줄을 그어 가며 문제를 풀어 보세요.

1-1 오른쪽 사다리꼴 ㄱㄴㄷㄹ은 선분 ㅁㅂ을 대칭축으로 하는 선대칭도형입니다. / 사다리꼴 ㄱㄴㄷㄹ의 넓이는 몇 cm²인가요?

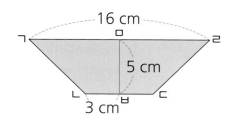

문제 돋보기 ◆ 구해야 할 것은?

→ _____

✔ 사다리꼴 ㄱㄴㄷㄹ의 윗변은? → 변 ☐

✔ 사다리꼴 ㄱㄴㄷㄹ의 높이는? → 선분 ☐

✔ 사다리꼴 ㄱㄴㄷㄹ의 아랫변은? → 변 ☐

풀이 과정

❶ 사다리꼴 ㄱㄴㄷㄹ의 아랫변의 길이는?

선대칭도형에서 대응변의 길이가 서로 같으므로

(선분 ㄷㅂ)＝(선분 ㄴㅂ)＝ ☐ cm이고

(변 ㄴㄷ)＝3＋ ☐ ＝ ☐ (cm)입니다.

❷ 사다리꼴 ㄱㄴㄷㄹ의 넓이는?

사다리꼴 ㄱㄴㄷㄹ의 윗변의 길이는 16 cm,

아랫변의 길이는 ☐ cm, 높이는 ☐ cm이므로

넓이는 (16＋ ☐)× ☐ ÷2＝ ☐ (cm²)입니다.

답 _____

문제가 어려웠나요?
☐ 어려워요
☐ 적당해요
☐ 쉬워요

65

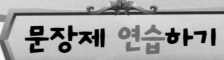

오른쪽 도형은 점 ㅇ을 대칭의 중심으로 하는

점대칭도형입니다. /

이 도형의 둘레가 42 cm일 때 /

변 ㄴㄷ은 몇 cm인가요?

→ 구해야 할 것

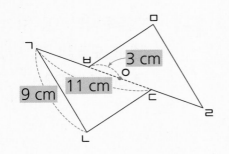

문제 돋보기

✓ 점대칭도형에서 각 선분의 길이는?

→ 변 ㄱㄴ: ☐ cm, 선분 ㄱㄷ: ☐ cm, 선분 ㅂㅇ: ☐ cm

✓ 도형의 둘레는? → ☐ cm

◆ 구해야 할 것은?

→ 변 ㄴㄷ의 길이

풀이 과정

❶ 선분 ㄷㅇ의 길이는?

점대칭도형의 각각의 대응점에서 대칭의 중심까지의 거리가 서로 같으므로

(선분 ㄷㅇ)=(선분 ㅂㅇ)= ☐ cm입니다.

❷ 변 ㄱㅂ의 길이는?

$$11 - \boxed{} - \boxed{} = \boxed{} \ (cm)$$

선분 ㅂㅇ의 길이 ┘   └→ 선분 ㄷㅇ의 길이

❸ 변 ㄴㄷ의 길이는?

점대칭도형에서 대응변의 길이가 서로 같으므로 변 ㄴㄷ의 길이를 ■ cm라 하면

$(9 + ■ + \boxed{}) × 2 = 42$, $9 + ■ + \boxed{} = \boxed{}$, $■ = \boxed{}$ 입니다.

답 _____

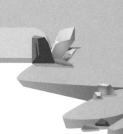

왼쪽 ❷번과 같이 문제에 색칠하고 밑줄을 그어 가며 문제를 풀어 보세요.

2-1 오른쪽 도형은 점 ㅈ을 대칭의 중심으로 하는 점대칭도형입니다. / 이 도형의 둘레가 58 cm일 때 / 변 ㄹㅁ은 몇 cm인가요?

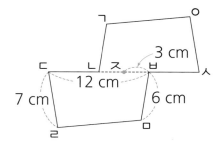

✓ 점대칭도형에서 각 선분의 길이는?

→ 선분 ㄷㅂ: ☐ cm, 선분 ㅈㅂ: ☐ cm,

변 ㄷㄹ: ☐ cm, 변 ㅁㅂ: ☐ cm

✓ 도형의 둘레는? → ☐ cm

◆ 구해야 할 것은?

→ _____

풀이과정

❶ 선분 ㄴㅈ의 길이는?

점대칭도형의 각각의 대응점에서 대칭의 중심까지의 거리가 서로 같으므로

(선분 ㄴㅈ)=(선분 ㅂㅈ)= ☐ cm입니다.

❷ 변 ㄷㄴ의 길이는?

12− ☐ − ☐ = ☐ (cm)

❸ 변 ㄹㅁ의 길이는?

점대칭도형에서 대응변의 길이가 서로 같으므로

변 ㄹㅁ의 길이를 ■ cm라 하면 (☐ +7+■+6)×2=58,

☐ +7+■+6= ☐ , ■= ☐ 입니다.

답 _____

문제가 어려웠나요?
☐ 어려워요
☐ 적당해요
☐ 쉬워요

문제를 읽고 '연습하기'에서 했던 것처럼 밑줄을 그어 가며 문제를 풀어 보세요.

1 오른쪽 도형은 직선 ㅅㅇ을 대칭축으로 하는 선대칭도형입니다. 이 선대칭도형의 넓이는 몇 cm²인가요?

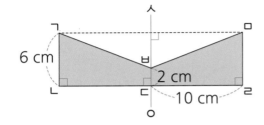

❶ 변 ㄴㄷ의 길이는?

❷ 사다리꼴 ㄱㄴㄷㅂ의 넓이는?

❸ 선대칭도형의 넓이는?

답 _____

2 오른쪽 도형은 직선 ㅁㅂ을 대칭축으로 하는 선대칭도형입니다. 이 선대칭도형의 넓이는 몇 cm²인가요?

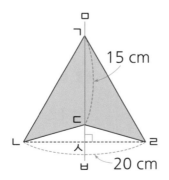

❶ 선분 ㄴㅅ의 길이는?

❷ 삼각형 ㄱㄴㄷ의 넓이는?

❸ 선대칭도형의 넓이는?

답 _____

68

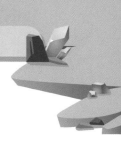

3 오른쪽 도형은 점 ㅅ을 대칭의 중심으로 하는 점대칭도형입니다. 이 도형의 둘레가 88 cm일 때 변 ㄴㄷ은 몇 cm인가요?

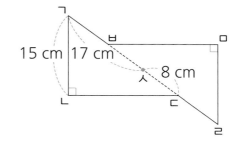

❶ 선분 ㅂㅅ의 길이는?

❷ 변 ㄱㅂ의 길이는?

❸ 변 ㄴㄷ의 길이는?

답 _____

4 오른쪽 도형은 점 ㅈ을 대칭의 중심으로 하는 점대칭도형입니다. 이 도형의 둘레가 52 cm일 때 변 ㅅㅂ은 몇 cm인가요?

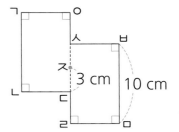

❶ 선분 ㅅㅈ의 길이는?

❷ 변 ㄷㄹ의 길이는?

❸ 변 ㅅㅂ의 길이는?

답 _____

58쪽 대칭인 숫자를 찾아 수 만들기

1 점대칭도형인 숫자를 한 번씩만 사용하여
세 자리 수를 만들려고 합니다. 만들 수 있는
수 중에서 가장 큰 수를 구해 보세요.

| 1 | 5 | 7 | 8 | 9 |

(풀이)

답 _____

64쪽 선대칭도형에서 넓이 구하기

2 오른쪽 정사각형 ㄱㄴㄷㄹ은 선분 ㅁㅂ을 대칭축으로 하는
선대칭도형입니다. 정사각형 ㄱㄴㄷㄹ의 넓이는
몇 cm²인가요?

(풀이)

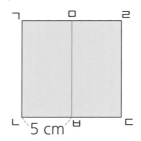

답 _____

58쪽 대칭인 숫자를 찾아 수 만들기

3 선대칭도형인 숫자를 한 번씩만 사용하여 네 자리 수를 만들려고 합니다.
만들 수 있는 수 중에서 가장 작은 수를 구해 보세요.

| 0 | 1 | 2 | 3 | 4 | 8 |

(풀이)

답 _____

60쪽 접은 종이에서 각의 크기 구하기

4 다음과 같이 삼각형 모양의 종이를 접었습니다. 각 ㄴㅁㄹ의 크기는 몇 도인가요?

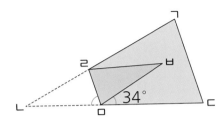

풀이

답 _____

64쪽 선대칭도형에서 넓이 구하기

5 사각형 ㄱㄴㄷㄹ은 선분 ㄴㄹ을 대칭축으로 하는 선대칭도형입니다.
사각형 ㄱㄴㄷㄹ의 넓이는 몇 cm²인가요?

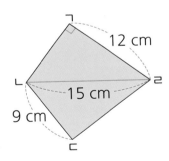

풀이

답 _____

66쪽 점대칭도형에서 변의 길이 구하기

6 오른쪽은 점 ㅈ을 대칭의 중심으로 하는 점대칭도형입니다. 이 도형의 둘레가 78 cm일 때 변 ㄹㄷ은 몇 cm인가요?

풀이

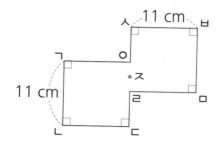

답 _____

60쪽 접은 종이에서 각의 크기 구하기

7 오른쪽과 같이 정사각형 모양의 종이를 접었습니다. 각 ㅁㅂㄷ의 크기는 몇 도인가요?

풀이

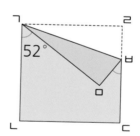

답 _____

60쪽 접은 종이에서 각의 크기 구하기

8 오른쪽과 같이 직사각형 모양의 종이를 접었습니다. 각 ㅈㄱㅅ의 크기는 몇 도인가요?

풀이

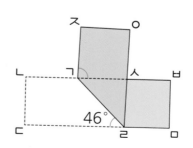

답 _____

밑변의 길이가 5.8 cm이고,
높이가 4.7 cm인
평행사변형의 넓이는

☐ × ☐ = ☐ (cm²)야.

문장제 연습하기

✦소수로 나타내어 곱 구하기

1

1 km를 가는 데 휘발유가 0.06 L
필요한 자동차가 있습니다. /
이 자동차가 1800 m를 가는 데 /
필요한 휘발유는 몇 L인가요?
　　　　└→ 구해야 할 것

문제 돋보기

✔ 자동차가 1 km를 가는 데 필요한 휘발유의 양은?

→ ⬚ L

◆ 구해야 할 것은?

→ 　　자동차가 1800 m를 가는 데 필요한 휘발유의 양

풀이 과정

❶ 1800 m는 몇 km인지 소수로 나타내면?

1800 m = ⬚ km
　　　　└→ 1000 m=1 km

❷ 자동차가 1800 m를 가는 데 필요한 휘발유의 양은?

0.06 × ⬚ = ⬚ (L)
　　└→ 1 km를 가는 데 필요한 휘발유의 양

답
＿＿＿＿＿＿＿＿＿

왼쪽 **❶**번과 같이 문제에 색칠하고 밑줄을 그어 가며 문제를 풀어 보세요.

1-1 굵기가 일정한 막대 1 m의 무게는 0.5 kg입니다. / 이 막대 130 cm의 무게는 몇 kg인가요?

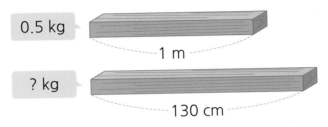

0.5 kg

1 m

? kg

130 cm

문제 돋보기

✓ 막대 1 m의 무게는?

→ [　　　] kg

◆ 구해야 할 것은?

→ _____

풀이 과정

❶ 130 cm는 몇 m인지 소수로 나타내면?

130 cm = [　　　] m

❷ 막대 130 cm의 무게는?

0.5 × [　　　] = [　　　] (kg)

답 _____

문제가
어려웠나요?

☐ 어려워요

☐ 적당해요

☐ 쉬워요

2 설탕이 10 kg 있습니다. /
이 설탕을 한 봉지에 1.8 kg씩 /
4봉지에 담았습니다. /
봉지에 담고 남은 설탕은 몇 kg인가요?
➜ 구해야 할 것

문제 돋보기

✔ 전체 설탕의 무게는? → ☐ kg

✔ 한 봉지에 담은 설탕의 무게는? → ☐ kg

✔ 설탕을 담은 봉지의 수는? → ☐ 봉지

◆ 구해야 할 것은?

→ _____ 봉지에 담고 남은 설탕의 무게

풀이 과정

❶ 4봉지에 담은 설탕의 무게는?

☐ × 4 = ☐ (kg)
└─ 한 봉지에 담은 설탕의 무게

❷ 봉지에 담고 남은 설탕의 무게는?

10 − ☐ = ☐ (kg)
└─ 4봉지에 담은 설탕의 무게

답 _____

왼쪽 **2** 번과 같이 문제에 색칠하고 밑줄을 그어 가며 문제를 풀어 보세요.

2-1 길이가 12 cm인 양초가 있습니다. / 이 양초에 불을 붙이면 1분에 0.54 cm씩 / 일정한 빠르기로 탄다고 합니다. / 이 양초가 9분 동안 탔다면 / 타고 남은 양초의 길이는 몇 cm인가요?

문제 돋보기

✓ 처음 양초의 길이는? → ☐ cm

✓ 1분에 타는 양초의 길이는? → ☐ cm

✓ 양초가 탄 시간은? → ☐ 분

◆ 구해야 할 것은?

→ _____

풀이 과정

❶ 9분 동안 탄 양초의 길이는?

☐ × 9 = ☐ (cm)

❷ 타고 남은 양초의 길이는?

12 − ☐ = ☐ (cm)

답 _____

문제가 어려웠나요?

☐ 어려워요
☐ 적당해요
☐ 쉬워요

✦ 소수로 나타내어 곱 구하기
✦ 남은 양 구하기

문제를 읽고 '연습하기'에서 했던 것처럼 밑줄을 그어 가며 문제를 풀어 보세요.

1 굵기가 일정한 철근 1 m의 무게는 3.82 kg입니다. 이 철근 70 cm의 무게는
몇 kg인가요?

❶ 70 cm는 몇 m인지 소수로 나타내면?

❷ 철근 70 cm의 무게는?

답 _____

2 1 km를 가는 데 기름이 0.35 L 필요한 버스가 있습니다. 이 버스가 4600 m를 가는 데
필요한 기름은 몇 L인가요?

❶ 4600 m는 몇 km인지 소수로 나타내면?

❷ 버스가 4600 m를 가는 데 필요한 기름의 양은?

답 _____

3 지은이네 집에 식용유가 2.8 L 있었습니다. 이 식용유를 하루에 0.24 L씩 3일 동안 사용했습니다. 사용하고 남은 식용유는 몇 L인가요?

❶ 3일 동안 사용한 식용유의 양은?

❷ 사용하고 남은 식용유의 양은?

답 _____

4 길이가 30.4 m인 끈이 있습니다. 선물 1개를 포장하는 데 끈 1.75 m가 필요하다고 합니다. 이 끈으로 선물 6개를 포장하고 남는 끈은 몇 m인가요?

❶ 선물 6개를 포장하는 데 필요한 끈의 길이는?

❷ 포장하고 남는 끈의 길이는?

답 _____

1 오른쪽과 같은 직사각형 모양의 밭이 있습니다. /
이 밭의 가로를 0.8배, 세로를 2.3배 하여 /
새로운 밭을 만들었을 때 /
새로운 밭의 넓이는 몇 m²인가요?
→ 구해야 할 것

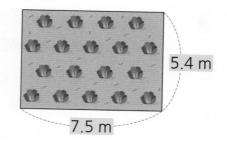

5.4 m

7.5 m

문제 돋보기

✔ 밭의 가로와 세로는? → 가로: ⬚ m, 세로: ⬚ m

✔ 밭의 가로와 세로를 각각 몇 배 했는지 알아보면?

→ 가로: ⬚ 배, 세로: ⬚ 배

◆ 구해야 할 것은?

→ _____ 새로운 밭의 넓이

풀이 과정

❶ 새로운 밭의 가로는?

⬚ × 0.8 = ⬚ (m)

❷ 새로운 밭의 세로는?

⬚ × 2.3 = ⬚ (m)

❸ 새로운 밭의 넓이는?

⬚ × ⬚ = ⬚ (m²)

새로운 밭의 가로 ┘   └ 새로운 밭의 세로

답 _____

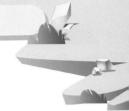
왼쪽 **1**번과 같이 문제에 색칠하고 밑줄을 그어 가며 문제를 풀어 보세요.

1-1　오른쪽과 같은 정사각형 모양의 꽃밭이 있습니다. /
　　　이 꽃밭의 가로를 2.4배, 세로를 0.7배 하여 /
　　　새로운 꽃밭을 만들었을 때 /
　　　새로운 꽃밭의 넓이는 몇 m²인가요?

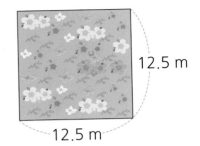

12.5 m

12.5 m

문제 돋보기

✓ 꽃밭의 한 변의 길이는? →　□　m

✓ 꽃밭의 가로와 세로를 각각 몇 배 했는지 알아보면?

　→ 가로: □ 배, 세로: □ 배

◆ 구해야 할 것은?

　→ _____

풀이 과정

❶ 새로운 꽃밭의 가로는?

　12.5 × □ = □ (m)

❷ 새로운 꽃밭의 세로는?

　12.5 × □ = □ (m)

❸ 새로운 꽃밭의 넓이는?

　□ × □ = □ (m²)

답 _____

문제가
어려웠나요?

○ 어려워요

○ 적당해요

○ 쉬워요

 수 카드 7, 1, 3, 5 를 한 번씩 모두 사용하여 /
다음과 같은 곱셈식을 만들려고 합니다. /
곱이 가장 클 때의 값을 구해 보세요.

└──→ 구해야 할 것

☐ . ☐ × ☐ . ☐

문제 돋보기

✔ 수 카드를 사용하여 만들려고 하는 식은?

→ (소수 ☐ 자리 수) × (소수 ☐ 자리 수)

◆ 구해야 할 것은?

→ _____

풀이 과정

❶ 곱이 가장 크도록 곱셈식을 만들려면?

두 수의 자연수 부분에 각각 가장 (큰 , 작은) 수와 둘째로 (큰 , 작은) 수를

└→ 알맞은 말에 ○표 하기

놓아야 합니다.

❷ 곱해야 하는 두 수는?

7 > 5 > 3 > 1이므로 자연수 부분에 놓아야 하는 수는 ☐, ☐ 입니다.

곱해야 하는 두 수는 7.3과 ☐ 또는 7.1과 ☐ 입니다.

❸ 곱이 가장 클 때의 값은?

7.3 × ☐ = ☐ , 7.1 × ☐ = ☐

⇨ ☐ > ☐ 이므로 곱이 가장 클 때의 값은 ☐ 입니다.

답 _____

왼쪽 ❷번과 같이 문제에 색칠하고 밑줄을 그어 가며 문제를 풀어 보세요.

2-1 수 카드 8, 9, 4, 6 을 한 번씩 모두 사용하여 / 다음과 같은 곱셈식을 만들려고 합니다. / 곱이 가장 작을 때의 값을 구해 보세요.

$$\boxed{}.\boxed{} \times \boxed{}.\boxed{}$$

문제 돋보기

✔ 수 카드를 사용하여 만들려고 하는 식은?

→ (소수 $\boxed{}$ 자리 수) × (소수 $\boxed{}$ 자리 수)

◆ 구해야 할 것은?

→ _____

풀이 과정

❶ 곱이 가장 작도록 곱셈식을 만들려면?

두 수의 자연수 부분에 각각 가장 (큰 , 작은) 수와 둘째로 (큰 , 작은) 수를 놓아야 합니다.

❷ 곱해야 하는 두 수는?

4＜6＜8＜9이므로 자연수 부분에 놓아야 하는 수는 $\boxed{}$, $\boxed{}$ 입니다.

곱해야 하는 두 수는 4.8과 $\boxed{}$ 또는 4.9와 $\boxed{}$ 입니다.

❸ 곱이 가장 작을 때의 값은?

4.8 × $\boxed{}$ = $\boxed{}$, 4.9 × $\boxed{}$ = $\boxed{}$

⇨ $\boxed{}$ ＜ $\boxed{}$ 이므로 곱이 가장 작을 때의 값은

$\boxed{}$ 입니다.

답 _____

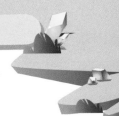

문제가 어려웠나요?

☐ 어려워요
☐ 적당해요
☐ 쉬워요

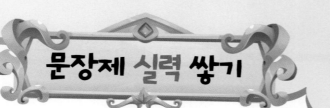
문제를 읽고 '연습하기'에서 했던 것처럼 밑줄을 그어 가며 문제를 풀어 보세요.

1 한 변의 길이가 0.5 m인 정사각형 모양 게시판의 한 변의 길이를 각각 1.8배 하여 새로운 게시판을 만들려고 합니다. 새로운 게시판의 넓이는 몇 m²인가요?

❶ 새로운 게시판의 한 변의 길이는?

❷ 새로운 게시판의 넓이는?

답 _____

2 가로가 9.3 m, 세로가 3.4 m인 직사각형 모양의 놀이터가 있습니다. 이 놀이터의 가로를 0.6배, 세로를 1.5배 하여 새로운 놀이터를 만들었을 때 새로운 놀이터의 넓이는 몇 m²인가요?

❶ 새로운 놀이터의 가로는?

❷ 새로운 놀이터의 세로는?

❸ 새로운 놀이터의 넓이는?

답 _____

3 수 카드 1, 3, 2, 4 를 한 번씩 모두 사용하여 다음과 같은 곱셈식을 만들려고 합니다. 곱이 가장 클 때의 값을 구해 보세요.

❶ 곱이 가장 크도록 곱셈식을 만들려면?

❷ 곱해야 하는 두 수는?

❸ 곱이 가장 클 때의 값은?

❸ 답 _____

4 수 카드 6, 9, 7, 5 를 한 번씩 모두 사용하여 다음과 같은 곱셈식을 만들려고 합니다. 곱이 가장 작을 때의 값을 구해 보세요.

❶ 곱이 가장 작도록 곱셈식을 만들려면?

❷ 곱해야 하는 두 수는?

❸ 곱이 가장 작을 때의 값은?

 답 _____

1

오른쪽과 같이 0.9를 100번 곱했을 때 /
곱의 소수점 아래 끝자리 숫자를 구해 보세요.

→ 구해야 할 것

$$0.9=0.9$$
$$0.9×0.9=0.81$$
$$0.9×0.9×0.9=0.729$$
$$0.9×0.9×0.9×0.9=0.6561$$
$$⋮$$

문제 돋보기

✓ 0.9를 여러 번 곱했을 때 곱의 소수점 아래 끝자리 숫자는?

→ 0.9 ⇨ ☐ , 0.9×0.9 ⇨ ☐ ,

0.9×0.9×0.9 ⇨ ☐ , 0.9×0.9×0.9×0.9 ⇨ ☐ ······

◆ 구해야 할 것은?

→ ___0.9를 100번 곱했을 때 곱의 소수점 아래 끝자리 숫자___

풀이 과정

❶ 0.9를 여러 번 곱했을 때 곱의 소수점 아래 끝자리 숫자가 반복되는 규칙은?

곱의 소수점 아래 끝자리 숫자는 ☐ , ☐ (이)가 반복됩니다.

❷ 0.9를 100번 곱했을 때 곱의 소수점 아래 끝자리 숫자는?

$100÷2=$ ☐ 이므로 0.9를 100번 곱했을 때 곱의 소수점 아래 끝자리 숫자는

반복되는 숫자 중에서 두 번째 숫자와 같은 ☐ 입니다.

답 _____

왼쪽 **1**번과 같이 문제에 색칠하고 밑줄을 그어 가며 문제를 풀어 보세요.

1-1 오른쪽과 같이 0.3을 50번 곱했을 때 /
곱의 소수점 아래 끝자리 숫자를 구해 보세요.

> 0.3＝0.3
> 0.3×0.3＝0.09
> 0.3×0.3×0.3＝0.027
> 0.3×0.3×0.3×0.3＝0.0081
> 0.3×0.3×0.3×0.3×0.3＝0.00243
> ⋮

문제 돋보기

✓ 0.3을 여러 번 곱했을 때 곱의 소수점 아래 끝자리 숫자는?

→ 0.3 ⇨ ☐ , 0.3×0.3 ⇨ ☐ , 0.3×0.3×0.3 ⇨ ☐ ,

0.3×0.3×0.3×0.3 ⇨ ☐ , 0.3×0.3×0.3×0.3×0.3 ⇨ ☐ ……

◆ 구해야 할 것은?

→ _____

풀이 과정

❶ 0.3을 여러 번 곱했을 때 곱의 소수점 아래 끝자리 숫자가 반복되는 규칙은?

곱의 소수점 아래 끝자리 숫자는 ☐ , ☐ , ☐ , ☐ 이(가) 반복됩니다.

❷ 0.3을 50번 곱했을 때 곱의 소수점 아래 끝자리 숫자는?

50÷4＝ ☐ ⋯ ☐ 이므로 0.3을 50번 곱했을 때

곱의 소수점 아래 끝자리 숫자는 반복되는 숫자 중에서

두 번째 숫자와 같은 ☐ 입니다.

문제가
어려웠나요?
☐ 어려워요
☐ 적당해요
☐ 쉬워요

답 _____

91

2 도로의 한쪽에 **가로등을 2.7 m 간격으로** /
처음부터 끝까지 설치했습니다. /
설치한 가로등이 13개일 때 /
도로의 길이는 몇 m인가요? (단, 가로등의 두께는 생각하지 않습니다.)

⟶ 구해야 할 것

2.7 m 2.7 m ……

**문제
돋보기**

✔ 가로등 사이의 간격은? → ☐ m

✔ 설치한 가로등의 수는? → ☐ 개

◆ 구해야 할 것은?

→ _____ 도로의 길이

**풀이
과정**

❶ 가로등 사이의 간격의 수는?

가로등 사이의 간격의 수는 가로등의 수보다 1만큼 더 작습니다.

⇨ ☐ − 1 = ☐ (군데)

└→ 가로등의 수

❷ 도로의 길이는?

2.7 × ☐ = ☐ (m)

가로등 사이의 간격 ⟵   └→ 간격의 수

답 _____

왼쪽 **2**번과 같이 문제에 색칠하고 밑줄을 그어 가며 문제를 풀어 보세요.

2-1 도로의 한쪽에 나무를 1.65 m 간격으로 /
처음부터 끝까지 심었습니다. / 심은 나무가
36그루일 때 / 도로의 길이는 몇 m인가요?
(단, 나무의 두께는 생각하지 않습니다.)

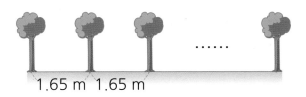

1.65 m 1.65 m

**문제
돋보기**

✓ 나무 사이의 간격은? → ☐ m

✓ 심은 나무의 수는? → ☐ 그루

◆ 구해야 할 것은?

→ _____

**풀이
과정**

❶ 나무 사이의 간격의 수는?

나무 사이의 간격의 수는 나무의 수보다 1만큼 더 작습니다.

⇨ ☐ − 1 = ☐ (군데)

❷ 도로의 길이는?

1.65 × ☐ = ☐ (m)

답 _____

문제가
어려웠나요?

☐ 어려워요

☐ 적당해요

☐ 쉬워요

문제를 읽고 '연습하기'에서 했던 것처럼 밑줄을 그어 가며 문제를 풀어 보세요.

1 0.4를 25번 곱했을 때 곱의 소수점 아래 끝자리 숫자를 구해 보세요.

$$0.4=0.4$$
$$0.4 \times 0.4=0.16$$
$$0.4 \times 0.4 \times 0.4=0.064$$
$$0.4 \times 0.4 \times 0.4 \times 0.4=0.0256$$
$$\vdots$$

❶ 0.4를 여러 번 곱했을 때 곱의 소수점 아래 끝자리 숫자가 반복되는 규칙은?

❷ 0.4를 25번 곱했을 때 곱의 소수점 아래 끝자리 숫자는?

답 _____

2 도로의 한쪽에 전봇대를 40.5 m 간격으로 처음부터 끝까지 설치했습니다. 설치한 전봇대가 25개일 때 도로의 길이는 몇 m인가요? (단, 전봇대의 두께는 생각하지 않습니다.)

❶ 전봇대 사이의 간격의 수는?

❷ 도로의 길이는?

답 _____

3   0.8을 75번 곱했을 때 곱의 소수점 아래 끝자리 숫자를 구해 보세요.

$$0.8 \times 0.8 \times 0.8 \times \cdots\cdots \times 0.8 \times 0.8 \times 0.8$$
$$\underbrace{}_{\text{75번}}$$

❶ 0.8을 여러 번 곱했을 때 곱의 소수점 아래 끝자리 숫자가 반복되는 규칙은?

❷ 0.8을 75번 곱했을 때 곱의 소수점 아래 끝자리 숫자는?

답 _____

4   도로의 양쪽에 깃발을 17.6 m 간격으로 처음부터 끝까지 세웠습니다. 세운 깃발이 100개일 때 도로의 길이는 몇 m인가요? (단, 깃발의 두께는 생각하지 않습니다.)

❶ 도로의 한쪽에 세운 깃발의 수는?

❷ 깃발 사이의 간격의 수는?

❸ 도로의 길이는?

답 _____

78쪽 소수로 나타내어 곱 구하기

1 굵기가 일정한 통나무 1 m의 무게는 9 kg입니다. 이 통나무 350 cm의 무게는 몇 kg인가요?

풀이

답 _____

80쪽 남은 양 구하기

2 물이 30 L 들어 있던 항아리에 구멍이 나서 1분에 1.2 L씩 일정하게 물이 새고 있습니다. 8분 후 항아리에 남은 물은 몇 L인가요?

풀이

답 _____

84쪽 직사각형의 넓이 구하기

3 가로가 4 cm, 세로가 10 cm인 직사각형의 가로와 세로를 각각 1.4배 하여 새로운 직사각형을 만들었습니다. 새로운 직사각형의 넓이는 몇 cm²인가요?

풀이

답 _____

86쪽 곱이 가장 클(작을) 때의 값 구하기

4 수 카드 5 , 6 , 8 을 한 번씩 모두 사용하여 다음과 같은 곱셈식을 만들려고 합니다. 곱이 가장 클 때의 값을 구해 보세요.

$$\boxed{} \times \boxed{} . \boxed{}$$

(풀이)

답 _____

90쪽 곱의 소수점 아래 끝자리 숫자 구하기

5 0.2를 45번 곱했을 때 곱의 소수점 아래 끝자리 숫자를 구해 보세요.

> $0.2 = 0.2$
> $0.2 \times 0.2 = 0.04$
> $0.2 \times 0.2 \times 0.2 = 0.008$
> $0.2 \times 0.2 \times 0.2 \times 0.2 = 0.0016$
> $0.2 \times 0.2 \times 0.2 \times 0.2 \times 0.2 = 0.00032$
> $\vdots$

(풀이)

답 <u> 소수의 곱셈 </u>

92쪽 도로의 길이 구하기

6 도로의 한쪽에 가로등을 5.25 m 간격으로 처음부터 끝까지 설치했습니다.
설치한 가로등이 20개일 때 도로의 길이는 몇 m인가요?
(단, 가로등의 두께는 생각하지 않습니다.)

풀이

답 _____

86쪽 곱이 가장 클(작을) 때의 값 구하기

7 수 카드 9 , 3 , 6 , 4 를 한 번씩 모두 사용하여 다음과 같은 곱셈식을 만들려고
합니다. 곱이 가장 작을 때의 값을 구해 보세요.

$$\square.\square \times \square.\square$$

풀이

답 _____

92쪽 도로의 길이 구하기

8 도로의 양쪽에 나무를 12.78 m 간격으로 처음부터 끝까지 심었습니다. 심은 나무가
50그루일 때 도로의 길이는 몇 m인가요? (단, 나무의 두께는 생각하지 않습니다.)

풀이

답 _____

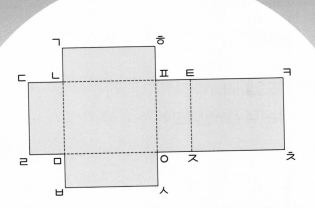

직육면체의 전개도에서 점 ㅎ과 만나는 점은 점 ☐ 이고, 선분 ㅌㅋ과 맞닿는 선분은 선분 ☐ 이야.

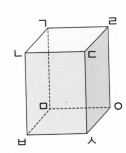

직육면체에서 선분 ㄴㅂ과 길이가 같은 선분은 선분 ☐ , 선분 ☐ , 선분 ☐ 으로 3개야.

1 오른쪽은 정육면체의 전개도입니다. / 정육면체의 전개도의 둘레는 몇 cm인가요?
→ 구해야 할 것

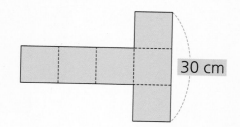

30 cm

문제 돋보기

✓ 어떤 도형의 전개도인지 알아보면?

→ ☐ 의 전개도

✓ 정육면체의 모서리 3개의 길이의 합은?

→ ☐ cm

◆ 구해야 할 것은?

→ _____ 정육면체의 전개도의 둘레

풀이 과정

❶ 정육면체의 한 모서리의 길이는?

정육면체는 모서리의 길이가 모두 같으므로

한 모서리의 길이는 ☐ ÷ ☐ = ☐ (cm)입니다.

❷ 정육면체의 전개도의 둘레는?

정육면체의 전개도의 둘레는 한 모서리의 길이의 ☐ 배이므로

전개도의 둘레는 ☐ × ☐ = ☐ (cm)입니다.

답 _____

104

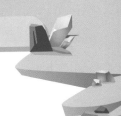

┌───┐
│ 왼쪽 **①**번과 같이 문제에 색칠하고 밑줄을 그어 가며 문제를 풀어 보세요. │
└───┘

1-1 오른쪽은 정육면체의 전개도입니다. / 정육면체의 전개도의
둘레는 몇 cm인가요?

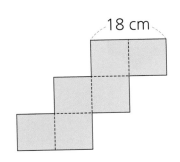

18 cm

문제 돋보기

✓ 어떤 도형의 전개도인지 알아보면?

→ ☐☐☐☐☐☐ 의 전개도

✓ 정육면체의 모서리 2개의 길이의 합은?

→ ☐ cm

◆ 구해야 할 것은?

→ _____

풀이 과정

❶ 정육면체의 한 모서리의 길이는?

정육면체는 모서리의 길이가 모두 같으므로

한 모서리의 길이는 ☐ ÷ ☐ = ☐ (cm)입니다.

❷ 정육면체의 전개도의 둘레는?

정육면체의 전개도의 둘레는 한 모서리의 길이의 ☐ 배이므로

전개도의 둘레는 ☐ × ☐ = ☐ (cm)입니다.

답 _____

문제가
어려웠나요?

☐ 어려워요

☐ 적당해요

☐ 쉬워요

문장제 연습하기

 오른쪽 정육면체의 모든 모서리의 길이의 합은 72 cm입니다. /

정육면체의 한 면의 넓이는 몇 cm²인가요?

┗→ 구해야 할 것

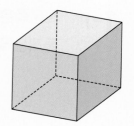

문제 돋보기

✓ 정육면체에서 길이가 같은 모서리의 수는?

→ ☐ 개

✓ 정육면체의 모든 모서리의 길이의 합은?

→ ☐ cm

◆ 구해야 할 것은?

→ _____ 정육면체의 한 면의 넓이 _____

 풀이 과정

❶ 정육면체의 한 모서리의 길이는?

☐ ÷ ☐ = ☐ (cm)

모든 모서리의 길이의 합 ┘   └ 모서리의 수

❷ 정육면체의 한 면의 넓이는?

☐ × ☐ = ☐ (cm²)

답 _____

왼쪽 **2**번과 같이 문제에 색칠하고 밑줄을 그어 가며 문제를 풀어 보세요.

2-1 오른쪽 정육면체의 모든 모서리의 길이의 합은 120 cm입니다. /
정육면체의 한 면의 넓이는 몇 cm²인가요?

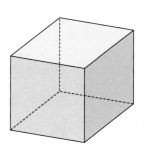

**문제
돋보기**

✓ 정육면체에서 길이가 같은 모서리의 수는?

→ ☐ 개

✓ 정육면체의 모든 모서리의 길이의 합은?

→ ☐ cm

◆ 구해야 할 것은?

→ _____

**풀이
과정**

❶ 정육면체의 한 모서리의 길이는?

☐ ÷ ☐ = ☐ (cm)

❷ 정육면체의 한 면의 넓이는?

☐ × ☐ = ☐ (cm²)

답 _____

문제가
어려웠나요?
☐ 어려워요
☐ 적당해요
☐ 쉬워요

문제를 읽고 '연습하기'에서 했던 것처럼 밑줄을 그어 가며 문제를 풀어 보세요.

1 오른쪽은 정육면체의 전개도입니다. 정육면체의 전개도의 둘레는 몇 cm인가요?

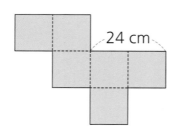

24 cm

❶ 정육면체의 한 모서리의 길이는?

❷ 정육면체의 전개도의 둘레는?

답 _____

2 오른쪽은 정육면체의 전개도입니다. 정육면체의 전개도의 둘레는 몇 cm인가요?

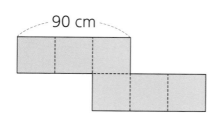

90 cm

❶ 정육면체의 한 모서리의 길이는?

❷ 정육면체의 전개도의 둘레는?

답 _____

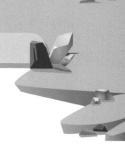

3 모든 모서리의 길이의 합이 156 cm인 정육면체가 있습니다. 정육면체의 한 면의 넓이는 몇 cm²인가요?

❶ 정육면체의 한 모서리의 길이는?

❷ 정육면체의 한 면의 넓이는?

답 _____

4 모든 모서리의 길이의 합이 180 cm인 정육면체가 있습니다. 정육면체의 한 면의 넓이는 몇 cm²인가요?

❶ 정육면체의 한 모서리의 길이는?

❷ 정육면체의 한 면의 넓이는?

답 _____

1 오른쪽 직육면체의 전개도를 접었을 때 /
모든 모서리의 길이의 합은 몇 cm인가요?

└─────→ 구해야 할 것

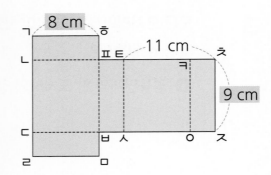

**문제
돌보기**

✔ 직육면체의 전개도에서 길이가 8 cm인 선분은?

→ 선분 ㄱㅎ, 선분 ㄴㅍ, 선분 ㄷㅂ, 선분 ⬚, 선분 ⬚, 선분 ⬚

✔ 직육면체의 전개도에서 길이가 9 cm인 선분은?

→ 선분 ㄴㄷ, 선분 ㅍㅂ, 선분 ⬚, 선분 ⬚, 선분 ⬚

◆ 구해야 할 것은?

→ _직육면체의 모든 모서리의 길이의 합_

**풀이
과정**

❶ 선분 ㅋㅊ의 길이는?

$$11 - \boxed{} = \boxed{} \text{(cm)}$$

선분 ㅌㅊ의 길이 ↑   ↑ 선분 ㅌㅋ의 길이

❷ 직육면체의 전개도를 접었을 때 길이가 서로 다른 모서리 3개의 길이는?

8 cm, ⬚ cm, ⬚ cm

❸ 직육면체의 전개도를 접었을 때 모든 모서리의 길이의 합은?

$$(8 + \boxed{} + 9) \times \boxed{} = \boxed{} \text{(cm)}$$

답 _____

왼쪽 ❶번과 같이 문제에 색칠하고 밑줄을 그어 가며 문제를 풀어 보세요.

1-1 오른쪽 직육면체의 전개도를 접었을 때 /
모든 모서리의 길이의 합은
몇 cm인가요?

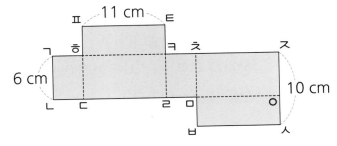

문제
돋보기

✓ 직육면체의 전개도에서 길이가 11 cm인 선분은?

→ 선분 ㅍㅌ, 선분 ㅎㅋ, 선분 ㄷㄹ, 선분 ㅂㅅ, 선분 ☐ , 선분 ☐

✓ 직육면체의 전개도에서 길이가 6 cm인 선분은?

→ 선분 ㄱㄴ, 선분 ㅎㄷ, 선분 ☐ , 선분 ☐ , 선분 ☐

◆ 구해야 할 것은?

→ _____

풀이
과정

❶ 선분 ㅇㅅ의 길이는?

10 − ☐ = ☐ (cm)

❷ 직육면체의 전개도를 접었을 때 길이가 서로 다른 모서리 3개의 길이는?

11 cm, ☐ cm, ☐ cm

❸ 직육면체의 전개도를 접었을 때 모든 모서리의 길이의 합은?

(11＋6＋ ☐)× ☐ = ☐ (cm)

❷ 답 _____

문제가
어려웠나요?

☐ 어려워요
☐ 적당해요
☐ 쉬워요

111

2 오른쪽 그림과 같이 **직육면체 모양의 상자에** /
테이프를 붙였습니다. /
상자를 두르는 데 사용한 테이프의 길이는 /
모두 몇 cm인가요? ╰──→ 구해야 할 것

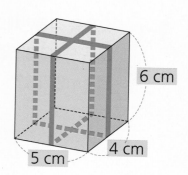

6 cm

4 cm

5 cm

문제 돋보기

✓ 직육면체 모양의 상자에서 길이가 서로 다른 모서리 3개의 길이는?

→ 5 cm, ☐ cm, ☐ cm

◆ 구해야 할 것은?

→ _____상자를 두르는 데 사용한 테이프의 길이_____

풀이 과정

❶ 붙인 테이프의 길이 중 각 모서리와 길이가 같은 부분은?

길이가 5 cm인 부분은 ☐ 군데,

길이가 4 cm인 부분은 ☐ 군데,

길이가 6 cm인 부분은 ☐ 군데입니다.

❷ 상자를 두르는 데 사용한 테이프의 길이는?

$5 \times$ ☐ $+ 4 \times$ ☐ $+ 6 \times$ ☐ $=$ ☐ (cm)

답 _____

왼쪽 **2** 번과 같이 문제에 색칠하고 밑줄을 그어 가며 문제를 풀어 보세요.

2-1 오른쪽 그림과 같이 직육면체 모양의 상자를 / 끈으로 묶어 포장했습니다. / 매듭을 묶는 데 사용한 끈의 길이가 15 cm일 때 / 상자를 포장하는 데 사용한 끈의 길이는 / 모두 몇 cm인가요?

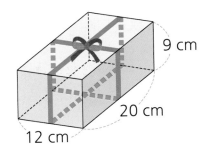

문제
돋보기

✓ 직육면체 모양의 상자에서 길이가 서로 다른 모서리 3개의 길이는?

→ 12 cm, ☐ cm, ☐ cm

◆ 구해야 할 것은?

→ _____

풀이
과정

❶ 묶은 끈의 길이 중 각 모서리와 길이가 같은 부분은?

길이가 12 cm인 부분은 ☐군데,

길이가 20 cm인 부분은 ☐군데,

길이가 9 cm인 부분은 ☐군데입니다.

❷ 매듭을 제외하고 상자를 묶는 데 사용한 끈의 길이는?

$12 \times$ ☐ $+ 20 \times$ ☐ $+ 9 \times$ ☐ $=$ ☐ (cm)

❸ 상자를 포장하는 데 사용한 끈의 길이는?

☐ $+$ ☐ $=$ ☐ (cm)

매듭을 제외하고 상자를 묶는 데 ⌐   ⌐→ 매듭을 묶는 데 사용한 끈의 길이
사용한 끈의 길이

답 _____

문제가
어려웠나요?

☐ 어려워요

☐ 적당해요

☐ 쉬워요

113

문제를 읽고 '연습하기'에서 했던 것처럼 밑줄을 그어 가며 문제를 풀어 보세요.

1 오른쪽 직육면체의 전개도를 접었을 때
모든 모서리의 길이의 합은 몇 cm인가요?

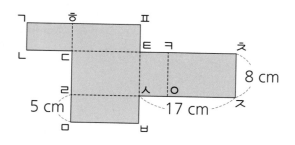

❶ 선분 ㅇㅈ의 길이는?

❷ 직육면체의 전개도를 접었을 때 길이가 서로 다른 모서리 3개의 길이는?

❸ 직육면체의 전개도를 접었을 때 모든 모서리의 길이의 합은?

답 _____

2 오른쪽 그림과 같이 직육면체 모양의 상자에 테이프를
붙였습니다. 상자를 두르는 데 사용한 테이프의 길이는
모두 몇 cm인가요?

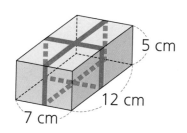

❶ 붙인 테이프의 길이 중 각 모서리와 길이가 같은 부분은?

❷ 상자를 두르는 데 사용한 테이프의 길이는?

답 _____

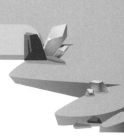

3 오른쪽 직육면체의 전개도를 접었을 때
모든 모서리의 길이의 합은 몇 cm인가요?

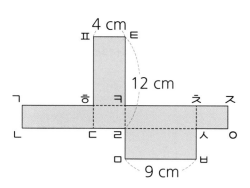

❶ 선분 ㅋㄹ의 길이는?

❷ 직육면체의 전개도를 접었을 때 길이가 서로
다른 모서리 3개의 길이는?

❸ 직육면체의 전개도를 접었을 때 모든 모서리의 길이의 합은?

답 _____

4 오른쪽 그림과 같이 직육면체 모양의 상자를 끈으로
묶어 포장했습니다. 매듭을 묶는 데 사용한 끈의 길이가
12 cm일 때 상자를 포장하는 데 사용한 끈의 길이는
모두 몇 cm인가요?

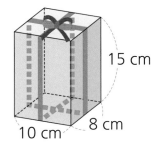

❶ 묶은 끈의 길이 중 각 모서리와 길이가 같은 부분은?

❷ 매듭을 제외하고 상자를 묶는 데 사용한 끈의 길이는?

❸ 상자를 포장하는 데 사용한 끈의 길이는?

답 _____

104쪽 정육면체의 전개도의 둘레 구하기

1 오른쪽은 정육면체의 전개도입니다. 정육면체의
전개도의 둘레는 몇 cm인가요?

풀이

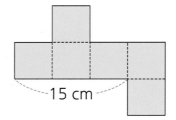

15 cm

답 _____

106쪽 정육면체의 한 면의 넓이 구하기

2 오른쪽 정육면체의 모든 모서리의 길이의 합은 84 cm입니다.
정육면체의 한 면의 넓이는 몇 cm²인가요?

풀이

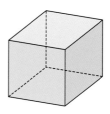

답 _____

104쪽 정육면체의 전개도의 둘레 구하기

3 오른쪽은 정육면체의 전개도입니다. 정육면체의
전개도의 둘레는 몇 cm인가요?

풀이

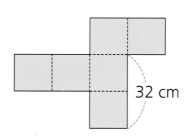

32 cm

답 _____

4

106쪽 정육면체의 한 면의 넓이 구하기

모든 모서리의 길이의 합이 144 cm인 정육면체가 있습니다. 정육면체의 한 면의 넓이는 몇 cm²인가요?

(풀이)

답 _____

5

110쪽 직육면체의 모든 모서리의 길이의 합 구하기

직육면체의 전개도를 접었을 때 모든 모서리의 길이의 합은 몇 cm인가요?

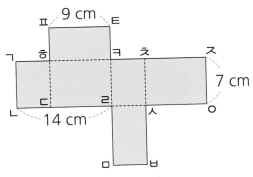

(풀이)

답 _____

112쪽 상자를 포장하는 데 사용한 끈의 길이 구하기

6 오른쪽 그림과 같이 직육면체 모양의 상자에 테이프를 붙였습니다. 상자를 두르는 데 사용한 테이프의 길이는 모두 몇 cm인가요?

(풀이)

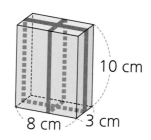

10 cm
8 cm 3 cm

답 _____

110쪽 직육면체의 모든 모서리의 길이의 합 구하기

7 오른쪽 직육면체의 전개도를 접었을 때 모든 모서리의 길이의 합은 몇 cm인가요?

(풀이)

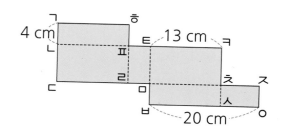

4 cm   13 cm
20 cm

답 _____

112쪽 상자를 포장하는 데 사용한 끈의 길이 구하기

8 오른쪽 그림과 같이 정육면체 모양의 상자를 끈으로 묶어 포장했습니다. 매듭을 묶는 데 사용한 끈의 길이가 14 cm일 때 상자를 포장하는 데 사용한 끈의 길이는 모두 몇 cm인가요?

(풀이)

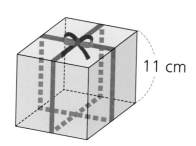

11 cm

답 _____

1 1부터 6까지의 눈이 그려진 주사위를 한 번 굴릴 때 /

일이 일어날 가능성이 더 높은 것의 기호를 써 보세요.

└→ 구해야 할 것

> ㉠ 주사위의 눈의 수가 홀수로 나올 가능성
> ㉡ 주사위의 눈의 수가 7 이하인 자연수로 나올 가능성

 문제 돋보기

✓ 주사위를 한 번 굴릴 때 나올 수 있는 눈의 수는?

→ 1, 2, ☐, ☐, ☐, ☐

◆ 구해야 할 것은?

→ 일이 일어날 가능성이 더 높은 것의 기호

_____

 풀이 과정

❶ 주사위의 눈의 수가 홀수로 나올 가능성은?

주사위의 눈의 수가 홀수인 경우는 1, ☐, ☐ 이므로

가능성은 '(불가능하다 , 반반이다 , 확실하다)'입니다.

└→ 알맞은 말에 ○표 하기

❷ 주사위의 눈의 수가 **7** 이하인 자연수로 나올 가능성은?

주사위의 눈의 수가 7 이하인 자연수인 경우는

1, 2, 3, ☐, ☐, ☐ 이므로

가능성은 '(불가능하다 , 반반이다 , 확실하다)'입니다.

❸ 일이 일어날 가능성이 더 높은 것은?

일이 일어날 가능성이 더 높은 것은 (㉠ , ㉡)입니다.

답 _____

왼쪽 **1**번과 같이 문제에 색칠하고 밑줄을 그어 가며 문제를 풀어 보세요.

1-1 1부터 10까지의 수가 쓰인 수 카드가 10장 있습니다. / 수 카드 중에서 한 장을 뽑을 때 /
일이 일어날 가능성이 더 낮은 것의 기호를 써 보세요.

> ㉠ 뽑은 수 카드의 수가 0일 가능성
> ㉡ 뽑은 수 카드의 수가 2의 배수일 가능성

**문제
돌보기**

✔ 수 카드 중에서 한 장을 뽑을 때 나올 수 있는 수 카드의 수는?

→ 1, 2, 3, 4, 5, 6, [ ], [ ], [ ], [ ]

◆ 구해야 할 것은?

→ _____

**풀이
과정**

❶ 뽑은 수 카드의 수가 0일 가능성은?

뽑은 수 카드의 수가 0인 경우는 없으므로

가능성은 '(불가능하다 , 반반이다 , 확실하다)'입니다.

❷ 뽑은 수 카드의 수가 2의 배수일 가능성은?

뽑은 수 카드의 수가 2의 배수인 경우는 2, 4, [ ], [ ], [ ] 이므로

가능성은 '(불가능하다 , 반반이다 , 확실하다)'입니다.

❸ 일이 일어날 가능성이 더 낮은 것은?

일이 일어날 가능성이 더 낮은 것은 (㉠ , ㉡)입니다.

❹ 답 _____

문제가
어려웠나요?

☐ 어려워요

☐ 적당해요

☐ 쉬워요

2 민채와 태우의 줄넘기 기록을 나타낸 표입니다. /

두 사람 중 줄넘기 기록의 평균이 / 더 높은 사람은 누구인가요?

→ 구해야 할 것

민채의 줄넘기 기록

회	1회	2회	3회	4회
기록(번)	94	85	93	100

태우의 줄넘기 기록

회	1회	2회	3회	4회
기록(번)	89	97	95	99

 문제 돋보기

✔ 민채의 줄넘기 기록은?

→ 1회: ☐ 번, 2회: ☐ 번, 3회: ☐ 번, 4회: ☐ 번

✔ 태우의 줄넘기 기록은?

→ 1회: ☐ 번, 2회: ☐ 번, 3회: ☐ 번, 4회: ☐ 번

◆ 구해야 할 것은?

→ ___줄넘기 기록의 평균이 더 높은 사람___

 풀이 과정

❶ 민채의 줄넘기 기록의 평균은?

$$(94+85+93+100) \div \boxed{} = \boxed{} \text{(번)}$$

민채의 줄넘기 기록의 합 ┘　　　└ 민채가 줄넘기를 한 횟수

❷ 태우의 줄넘기 기록의 평균은?

$$(89+97+95+99) \div \boxed{} = \boxed{} \text{(번)}$$

태우의 줄넘기 기록의 합 ┘　　　└ 태우가 줄넘기를 한 횟수

❸ 두 사람 중 줄넘기 기록의 평균이 더 높은 사람은?

☐ > ☐ 이므로 줄넘기 기록의 평균이 더 높은 사람은 ☐ 입니다.

 답

_____

왼쪽 ❷번과 같이 문제에 색칠하고 밑줄을 그어 가며 문제를 풀어 보세요.

2-1 정아네 모둠과 승호네 모둠이 지난 주말에 운동한 시간을 나타낸 표입니다. /
두 모둠 중 평균 운동 시간이 / 더 긴 모둠은 어느 모둠인가요?

정아네 모둠의 운동 시간

이름	정아	시현	승준
운동 시간(분)	64	50	57

승호네 모둠의 운동 시간

이름	승호	재형	희주	민선
운동 시간(분)	45	56	64	59

문제 돋보기

✔ 정아네 모둠의 운동 시간은?

→ 정아: ☐ 분, 시현: ☐ 분, 승준: ☐ 분

✔ 승호네 모둠의 운동 시간은?

→ 승호: ☐ 분, 재형: ☐ 분, 희주: ☐ 분, 민선: ☐ 분

◆ 구해야 할 것은?

→ _____

풀이 과정

❶ 정아네 모둠의 평균 운동 시간은?

$(64+50+57) \div$ ☐ $=$ ☐ (분)

❷ 승호네 모둠의 평균 운동 시간은?

$(45+56+64+59) \div$ ☐ $=$ ☐ (분)

❸ 두 모둠 중 평균 운동 시간이 더 긴 모둠은?

☐ $>$ ☐ 이므로 평균 운동 시간이 더 긴 모둠은

☐ 네 모둠입니다.

답 _____

문제가 어려웠나요?

☐ 어려워요

☐ 적당해요

☐ 쉬워요

문제를 읽고 '연습하기'에서 했던 것처럼 밑줄을 그어 가며 문제를 풀어 보세요.

1 흰색 공 1개와 검은색 공 1개가 들어 있는 주머니에서 공 1개를 꺼낼 때 일이 일어날 가능성이 더 높은 것의 기호를 써 보세요.

> ㉠ 꺼낸 공이 파란색일 가능성
> ㉡ 꺼낸 공이 흰색일 가능성

❶ 일이 일어날 가능성은?

❷ 일이 일어날 가능성이 더 높은 것의 기호를 쓰면?

답 _____

2 4장의 수 카드 3 , 5 , 7 , 9 중 한 장을 뽑았을 때 일이 일어날 가능성이 가장 낮은 것을 찾아 기호를 써 보세요.

> ㉠ 수 카드의 수가 7보다 작은 수가 나올 가능성
> ㉡ 수 카드의 수가 자연수가 나올 가능성
> ㉢ 수 카드의 수가 짝수가 나올 가능성

❶ 일이 일어날 가능성은?

❷ 일이 일어날 가능성이 가장 낮은 것을 찾아 기호를 쓰면?

답 _____

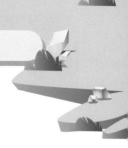

3 동표와 현지의 수학 점수를 나타낸 표입니다. 두 사람 중 수학 점수의 평균이 더 높은 사람은 누구인가요?

동표의 수학 점수

회	1회	2회	3회	4회
점수(점)	80	75	92	81

현지의 수학 점수

회	1회	2회	3회	4회
점수(점)	90	69	80	93

❶ 동표의 수학 점수의 평균은?

❷ 현지의 수학 점수의 평균은?

❸ 두 사람 중 수학 점수의 평균이 더 높은 사람은?

답 _____

4 소라네 모둠과 준하네 모둠이 모은 헌 옷의 무게를 나타낸 표입니다. 두 모둠 중 모은 헌 옷의 무게의 평균이 더 가벼운 모둠은 어느 모둠인가요?

소라네 모둠이 모은 헌 옷의 무게

이름	소라	은결	민지
무게(kg)	44	41	35

준하네 모둠이 모은 헌 옷의 무게

이름	준하	혜인	재준	유선
무게(kg)	40	34	52	30

❶ 소라네 모둠이 모은 헌 옷의 무게의 평균은?

❷ 준하네 모둠이 모은 헌 옷의 무게의 평균은?

❸ 두 모둠 중 모은 헌 옷의 무게의 평균이 더 가벼운 모둠은?

답 _____

1 윤기가 4회까지 원반던지기를 한 기록을 나타낸 표입니다. /
원반던지기 기록의 평균이 지금보다 2 m 더 높아야 /
상을 받을 수 있다면 /
5회째 기록은 최소 몇 m여야 하나요?

→ 구해야 할 것

윤기의 원반던지기 기록

회	1회	2회	3회	4회	5회
기록(m)	19	21	32	24	

문제 돋보기

✓ 윤기가 상을 받을 수 있는 원반던지기 기록의 평균은?

→ (1회부터 4회까지의 원반던지기 기록의 평균)+ ☐

◆ 구해야 할 것은?

→ _____ 5회째의 원반던지기 최소 기록 _____

풀이 과정

❶ 1회부터 4회까지의 원반던지기 기록의 평균은?

(19+21+32+24)÷ ☐ = ☐ (m)

❷ 윤기가 상을 받기 위한 1회부터 5회까지의 원반던지기 기록의 평균은?

☐ +2= ☐ (m)

└→ 1회부터 4회까지의 원반던지기 기록의 평균

❸ 윤기가 상을 받기 위한 5회째 기록은 최소 몇 m?

☐ ×5−(19+21+32+24)= ☐ (m)

└→ 1회부터 5회까지의 원반던지기 기록의 합

답 _____

왼쪽 ❶번과 같이 문제에 색칠하고 밑줄을 그어 가며 문제를 풀어 보세요.

1-1 ㉮ 공장과 ㉯ 공장의 5개월 동안의 부채 생산량을 나타낸 표입니다. / 부채 생산량의 평균이 ㉮ 공장이 ㉯ 공장보다 20개 더 적다면 / ㉮ 공장의 11월 부채 생산량은 몇 개인가요?

월별 부채 생산량

월	7월	8월	9월	10월	11월
㉮ 공장의 생산량(개)	205	212	181	170	
㉯ 공장의 생산량(개)	248	300	179	144	89

문제 돋보기

✓ ㉮ 공장의 7월부터 11월까지의 부채 생산량의 평균은?

→ (㉯ 공장의 7월부터 11월까지의 부채 생산량의 평균) − ☐

◆ 구해야 할 것은?

→ _____

풀이 과정

❶ ㉯ 공장의 7월부터 11월까지의 부채 생산량의 평균은?

$(248+300+179+144+89) \div$ ☐ $=$ ☐ (개)

❷ ㉮ 공장의 7월부터 11월까지의 부채 생산량의 평균은?

☐ $- 20 =$ ☐ (개)

❸ ㉮ 공장의 11월 부채 생산량은?

☐ $\times 5 - (205+212+181+170) =$ ☐ (개)

탑 _____

문제가 어려웠나요?

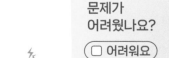
☐ 어려워요

☐ 적당해요

☐ 쉬워요

문장제 연습하기

2

주아네 반 남학생과 여학생의 몸무게의 평균입니다. /

주아네 반 전체 학생의 몸무게의 평균은 몇 kg인가요?

→ 구해야 할 것

	남학생	여학생
학생 수(명)	10	5
몸무게의 평균(kg)	41	35

문제 돋보기

✓ 남학생 10명의 몸무게의 평균은? → ☐ kg

✓ 여학생 5명의 몸무게의 평균은? → ☐ kg

◆ 구해야 할 것은?

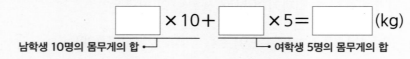
→ 　　　　　주아네 반 전체 학생의 몸무게의 평균

풀이 과정

❶ 주아네 반 전체 학생의 몸무게의 합은?

☐ ×10+ ☐ ×5= ☐ (kg)

남학생 10명의 몸무게의 합 ┘　　　└ 여학생 5명의 몸무게의 합

❷ 주아네 반 전체 학생 수는?

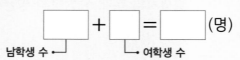
☐ + ☐ = ☐ (명)

남학생 수 ┘　　　└ 여학생 수

❸ 주아네 반 전체 학생의 몸무게의 평균은?

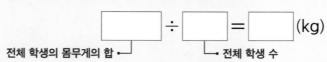
☐ ÷ ☐ = ☐ (kg)

전체 학생의 몸무게의 합 ┘　　　└ 전체 학생 수

답 _____

132

왼쪽 ❷번과 같이 문제에 색칠하고 밑줄을 그어 가며 문제를 풀어 보세요.

2-1 은희네 모둠 학생 8명의 하루 평균 스마트폰 이용 시간은 40분이고 /
수호네 모둠 학생 12명의 하루 평균 스마트폰 이용 시간은 45분입니다. /
두 모둠의 하루 평균 스마트폰 이용 시간은 몇 분인가요?

문제 돋보기

✓ 은희네 모둠 학생 8명의 하루 평균 스마트폰 이용 시간은?

→ ☐ 분

✓ 수호네 모둠 학생 12명의 하루 평균 스마트폰 이용 시간은?

→ ☐ 분

◆ 구해야 할 것은?

→ _____

풀이 과정

❶ 두 모둠의 하루 스마트폰 이용 시간의 합은?

☐ × 8 + ☐ × 12 = ☐ (분)

❷ 두 모둠의 전체 학생 수는?

☐ + ☐ = ☐ (명)

❸ 두 모둠의 하루 평균 스마트폰 이용 시간은?

☐ ÷ ☐ = ☐ (분)

❹ 답 _____

문제가
어려웠나요?

☐ 어려워요

☐ 적당해요

☐ 쉬워요

문제를 읽고 '연습하기'에서 했던 것처럼 밑줄을 그어 가며 문제를 풀어 보세요.

1 오른쪽은 경서가 4회까지 제기차기를 한 기록을 나타낸 표입니다. 제기차기 기록의 평균이 지금보다 1개 더 많아야 대표 선수가 될 수 있다면 5회째 기록은 최소 몇 개여야 하나요?

경서의 제기차기 기록

회	1회	2회	3회	4회	5회
기록(개)	10	16	14	12	

❶ 1회부터 4회까지의 제기차기 기록의 평균은?

❷ 경서가 대표 선수가 되기 위한 1회부터 5회까지의 제기차기 기록의 평균은?

❸ 경서가 대표 선수가 되기 위한 5회째 기록은 최소 몇 개?

답 _____

2 오른쪽은 유준이네 반 남학생과 여학생의 팔굽혀펴기 기록의 평균입니다. 유준이네 반 전체 학생의 팔굽혀펴기 기록의 평균은 몇 회인가요?

	남학생	여학생
학생 수(명)	12	10
평균(회)	29	18

❶ 유준이네 반 전체 학생의 팔굽혀펴기 기록의 합은?

❷ 유준이네 반 전체 학생 수는?

❸ 유준이네 반 전체 학생의 팔굽혀펴기 기록의 평균은?

답 _____

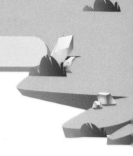

3 ㉮ 수영장과 ㉯ 수영장을 5개월 동안 이용한 회원 수를 나타낸 표입니다. 회원 수의 평균이 ㉯ 수영장이 ㉮ 수영장보다 5명 더 적다면 ㉯ 수영장의 12월 회원 수는 몇 명인가요?

월별 회원 수

월	8월	9월	10월	11월	12월
㉮ 수영장의 회원 수(명)	266	259	200	182	178
㉯ 수영장의 회원 수(명)	245	215	209	199	

❶ ㉮ 수영장의 8월부터 12월까지의 회원 수의 평균은?

❷ ㉯ 수영장의 8월부터 12월까지의 회원 수의 평균은?

❸ ㉯ 수영장의 12월 회원 수는?

답 _____

4 수빈이네 반 남학생 9명의 앉은키의 평균은 72 cm이고 여학생 6명의 앉은키의 평균은 67 cm입니다. 수빈이네 반 전체 학생의 앉은키의 평균은 몇 cm인가요?

❶ 수빈이네 반 전체 학생의 앉은키의 합은?

❷ 수빈이네 반 전체 학생 수는?

❸ 수빈이네 반 전체 학생의 앉은키의 평균은?

답 _____

124쪽 일이 일어날 가능성 비교하기

1 검은색 바둑돌 3개가 들어 있는 상자에서 바둑돌 1개를 꺼낼 때 일이 일어날 가능성이 더 높은 것의 기호를 써 보세요.

> ㉠ 꺼낸 바둑돌이 흰색일 가능성
> ㉡ 꺼낸 바둑돌이 검은색일 가능성

풀이

답 _____

124쪽 일이 일어날 가능성 비교하기

2 100원짜리 동전 4개가 들어 있는 주머니에서 손에 잡히는 대로 동전을 1개 이상 꺼낼 때 일이 일어날 가능성이 더 낮은 것의 기호를 써 보세요.

> ㉠ 꺼낸 동전의 개수가 짝수일 가능성
> ㉡ 꺼낸 동전이 50원짜리 동전일 가능성

풀이

답 _____

126쪽 평균 비교하기

3 혜성이의 오래 매달리기 기록은 17초, 13초, 21초이고 지윤이의 오래 매달리기 기록은 20초, 16초, 18초입니다. 두 사람 중 오래 매달리기 기록의 평균이 더 낮은 사람은 누구인가요?

풀이

답 _____

130쪽 평균을 이용하여 자료의 값 구하기

4

준모가 3회까지 멀리뛰기를 한 기록을 나타낸 표입니다. 멀리뛰기 기록의 평균이 지금보다 높으려면 4회째 기록은 최소 몇 cm보다 멀리 뛰어야 하나요?

준모의 멀리뛰기 기록

회	1회	2회	3회	4회
기록(cm)	103	92	96	

풀이

답 _____

132쪽 전체의 평균 구하기

5

시윤이와 도현이의 키의 평균은 154 cm이고 민서와 채원이의 키의 평균은 148 cm입니다. 4명의 키의 평균은 몇 cm인가요?

풀이

답 _____

126쪽 평균 비교하기

6

아름이네 모둠과 지후네 모둠이 방학 동안 읽은 책 수를 나타낸 표입니다. 두 모둠 중 읽은 책 수의 평균이 더 많은 모둠은 어느 모둠인가요?

아름이네 모둠이 읽은 책 수

이름	아름	도윤	현우
책 수(권)	8	6	10

지후네 모둠이 읽은 책 수

이름	지후	서진	병재	다솜
책 수(권)	9	10	5	4

풀이

답 _____

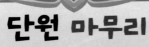

132쪽 전체의 평균 구하기

7 선예네 반 남학생과 여학생의 공 던지기 기록의 평균입니다. 선예네 반 전체 학생의 공 던지기 기록의 평균은 몇 m인가요?

남학생 10명	31 m
여학생 6명	23 m

풀이

답 ⬚

130쪽 평균을 이용하여 자료의 값 구하기

8 ㉮ 대리점과 ㉯ 대리점의 5개월 동안의 자전거 대여량을 나타낸 표입니다. 자전거 대여량의 평균이 ㉮ 대리점이 ㉯ 대리점보다 8대 더 적다면 ㉮ 대리점의 6월 자전거 대여량은 몇 대인가요?

월별 자전거 대여량

월	2월	3월	4월	5월	6월
㉮ 대리점의 대여량(대)	144	131	172	165	
㉯ 대리점의 대여량(대)	155	164	169	162	150

풀이

답 ⬚

130쪽 평균을 이용하여 자료의 값 구하기

9 농구 동아리 회원의 나이를 나타낸 표입니다. 주희가 새로 들어와서 동아리 회원의 나이의 평균이 한 살 줄었다면 주희는 민아보다 몇 살 더 적은가요?

농구 동아리 회원의 나이

이름	하연	민아	시은	솔비
나이(살)	14	18	16	12

풀이

답 _____

132쪽 전체의 평균 구하기

10

도전 문제

성우가 월요일부터 수요일까지 자전거를 탄 시간의 평균은 54분이고, 목요일부터 일요일까지 자전거를 탄 시간의 평균은 1시간 15분입니다. 성우가 월요일부터 일요일까지 자전거를 탄 시간의 평균은 몇 시간 몇 분인가요?

❶ 월요일부터 수요일까지 자전거를 탄 시간의 합은?

❷ 목요일부터 일요일까지 자전거를 탄 시간의 합은?

❸ 성우가 월요일부터 일요일까지 자전거를 탄 시간의 평균은 몇 시간 몇 분?

답 _____

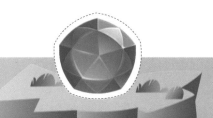

1 학생들에게 간식으로 삶은 달걀을 나누어 주려고 하는 데 달걀이 85개 필요합니다. 달걀은 10개씩 묶음으로만 판매하고, 한 묶음에 3000원이라고 합니다. 달걀을 사는 데 필요한 금액은 최소 얼마인가요?

(풀이)

답 _____

2 굵기가 일정한 나무막대 1 m의 무게는 3.26 kg입니다. 이 나무막대 150 cm의 무게는 몇 kg인가요?

(풀이)

답 _____

3 시우네 집 냉장고에 주스가 $1\frac{3}{4}$ L 있었습니다. 시우가 전체 주스의 $\frac{3}{5}$ 을 마셨다면 마시고 남은 주스는 몇 L인가요?

(풀이)

답 _____

4 정육면체의 전개도입니다. 정육면체의 전개도의 둘레는 몇 cm인가요?

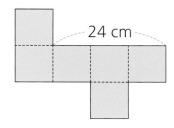

24 cm

풀이

답 _____

5 삼각형 ㄱㄴㄷ은 선분 ㄴㄹ을 대칭축으로 하는 선대칭도형입니다. 삼각형 ㄱㄴㄷ의 넓이는 몇 cm²인가요?

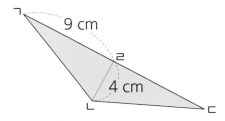

9 cm

4 cm

풀이

답 _____

6 다혜네 학교 5학년 학생들이 정원이 10명인 엘리베이터를 모두 타려면 엘리베이터는 적어도 9번 운행해야 합니다. 다혜네 학교 5학년 학생은 몇 명 이상 몇 명 이하인가요?

풀이

답 _____

7 수 카드 9 , 3 , 7 , 2 를 한 번씩 모두 사용하여 다음과 같은 곱셈식을 만들려고 합니다. 곱이 가장 클 때의 값을 구해 보세요.

$$\boxed{}.\boxed{} \times \boxed{}.\boxed{}$$

풀이

답 _____

8 길이가 $3\frac{5}{6}$ cm인 색 테이프 3장을 $\frac{3}{10}$ cm씩 겹치게 한 줄로 이어 붙였습니다. 이어 붙인 색 테이프의 전체 길이는 몇 cm인가요?

풀이

답 _____

9 어느 박물관에 4일 동안 방문한 관람객 수를 나타낸 표입니다. 관람객 수의 평균이 지금보다 3명 더 많아야 야외 공연이 열린다면 금요일의 관람객 수는 최소 몇 명이어야 하나요?

요일별 관람객 수

요일	월	화	수	목	금
관람객 수(명)	45	75	100	84	

풀이

답 _____

10 다음 도형은 점 ㅈ을 대칭의 중심으로 하는 점대칭도형입니다. 이 도형의 둘레가 70 cm일 때 변 ㄷㄹ은 몇 cm인가요?

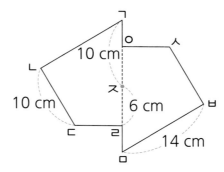

풀이

답 _____

1 도로의 한쪽에 나무를 3.15 m 간격으로 처음부터 끝까지 심었습니다. 심은 나무가 15그루일 때 도로의 길이는 몇 m인가요? (단, 나무의 두께는 생각하지 않습니다.)

(풀이)

답 _____

2 승원이네 밭에서 고구마를 468 kg 캤습니다. 이 고구마를 10 kg씩 상자에 담아서 한 상자에 20000원씩 팔려고 합니다. 상자에 담은 고구마를 모두 판다면 받을 수 있는 금액은 최대 얼마인가요?

(풀이)

답 _____

3 떨어진 높이의 $\frac{1}{10}$만큼 튀어 오르는 공이 있습니다. 이 공을 $4\frac{4}{9}$ m 높이에서 떨어뜨렸을 때 공이 두 번째로 튀어 오르는 높이는 몇 m인가요?

(풀이)

답 _____

4 다음과 같이 직사각형 모양의 종이를 접었습니다. 각 ㄴㅁㄱ의 크기는 몇 도인가요?

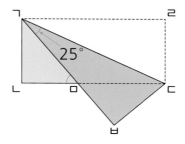

풀이

답 _____

5 직육면체의 전개도를 접었을 때 모든 모서리의 길이의 합은 몇 cm인가요?

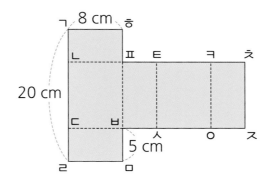

풀이

답 _____

6 1시간에 병재는 $9\frac{2}{5}$ km를 가는 빠르기로 달리고, 태연이는 $6\frac{9}{10}$ km를 가는 빠르기로 달렸습니다. 두 사람이 같은 곳에서 반대 방향으로 동시에 출발했다면 1시간 15분 후에 두 사람 사이의 거리는 몇 km인가요?

풀이

답 _____

7 조건을 만족하는 자연수는 모두 몇 개인가요?

> (조건 1) 85 초과 92 이하인 수입니다.
> (조건 2) 올림하여 십의 자리까지 나타내면 90이 되는 수입니다.

풀이

답 _____

8 가로가 6.8 m, 세로가 3.5 m인 직사각형 모양의 밭이 있습니다. 이 밭의 가로를 0.5배, 세로를 1.6배 하여 새로운 밭을 만들었을 때 새로운 밭의 넓이는 몇 m²인가요?

풀이

답 _____

9 예나네 모둠과 미희네 모둠의 오래 매달리기 기록을 나타낸 표입니다. 두 모둠 중 오래 매달리기 기록의 평균이 더 높은 모둠은 어느 모둠인가요?

예나네 모둠의 오래 매달리기 기록

이름	예나	소연	현서
기록(초)	27	22	26

미희네 모둠의 오래 매달리기 기록

이름	미희	영지	동건	준호
기록(초)	29	18	21	28

(풀이)

답

10 하연이네 반 남학생 12명의 키의 평균은 145 cm이고 여학생 8명의 키의 평균은 140 cm입니다. 하연이네 반 전체 학생의 키의 평균은 몇 cm인가요?

(풀이)

답

1 길이가 10 cm인 양초가 있습니다. 이 양초에 불을 붙이면 1분에 0.65 cm씩 일정한 빠르기로 탄다고 합니다. 이 양초가 7분 동안 탔다면 타고 남은 양초의 길이는 몇 cm인가요?

(풀이)

답

2 모든 모서리의 길이의 합이 168 cm인 정육면체가 있습니다. 정육면체의 한 면의 넓이는 몇 cm²인가요?

(풀이)

답

3 점대칭도형인 숫자를 한 번씩만 사용하여 세 자리 수를 만들려고 합니다. 만들 수 있는 수 중에서 가장 작은 수를 구해 보세요.

0 4 5 7 8 9

(풀이)

답

4 1부터 8까지의 수가 쓰인 수 카드가 8장 있습니다. 수 카드 중에서 한 장을 뽑을 때 일이 일어날 가능성이 더 높은 것의 기호를 써 보세요.

> ㉠ 뽑은 수 카드의 수가 짝수일 가능성
> ㉡ 뽑은 수 카드의 수가 10일 가능성

(풀이)

답 _____

5 소미가 딴 토마토를 모두 상자에 담으려면 20개까지 담을 수 있는 상자가 적어도 10개 필요합니다. 소미가 딴 토마토는 몇 개 이상 몇 개 이하인가요?

(풀이)

답 _____

6 찬욱이가 가지고 있던 리본의 $\frac{4}{5}$를 사용했더니 $20\frac{7}{10}$ cm가 남았습니다. 찬욱이가 처음에 가지고 있던 리본은 몇 cm인가요?

(풀이)

답 _____

7 다음 도형은 직선 ㅅㅇ을 대칭축으로 하는 선대칭도형입니다. 이 선대칭도형의 넓이는 몇 cm²인가요?

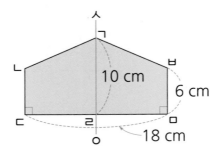

(풀이)

답 _____

8 하루에 $3\frac{9}{10}$ 분씩 느려지는 시계가 있습니다. 이 시계를 오늘 오전 6시에 정확하게 맞추었다면 5일 후 오전 6시에 이 시계가 가리키는 시각은 오전 몇 시 몇 분 몇 초 인가요?

(풀이)

답 _____

9 0.7을 55번 곱했을 때 곱의 소수점 아래 끝자리 숫자를 구해 보세요.

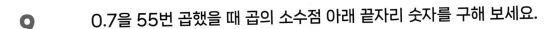

$$0.7=0.7$$
$$0.7\times0.7=0.49$$
$$0.7\times0.7\times0.7=0.343$$
$$0.7\times0.7\times0.7\times0.7=0.2401$$
$$0.7\times0.7\times0.7\times0.7\times0.7=0.16807$$
$$\vdots$$

풀이

답 _____

10 다음과 같이 직육면체 모양의 상자를 끈으로 묶어 포장했습니다. 매듭을 묶는 데 사용한 끈의 길이가 20 cm일 때 상자를 포장하는 데 사용한 끈의 길이는 모두 몇 cm인가요?

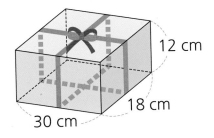

12 cm
18 cm
30 cm

풀이

답 _____

memo

공부로 이끄는 힘

완자 공부력

5B
5학년

발전

정답과 해설

교과서 문해력
수학 문장제

 **책 속의 가접 별책** (특허 제 0557442호)

'정답과 해설'은 진도책에서 쉽게 분리할 수 있도록 제작되었으므로
유통 과정에서 분리될 수 있으나 파본이 아닌 정상 제품입니다.

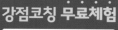

완자 공부력

교과서 문해력 | 수학 문장제 발전 5B

정답과 해설

1. 수의 범위와 어림하기

10쪽 ~ 11쪽

문장제 준비하기

함께 풀어 봐요!

보석을 찾으며 빈칸에 알맞은 수를 써 보세요.

정답과 해설 2쪽

12 이상 15 미만인 자연수는 12 , 13 , 14 (으)로 모두 3개야.

오늘 야구장에 입장한 사람은 23518명이야. 야구장에 입장한 사람 수를 올림하여 천의 자리까지 나타내면 24000 명이야.

소라의 키는 150.8 cm야. 소라의 키를 반올림하여 일의 자리까지 나타내면 151 cm가 돼.

12쪽 ~ 13쪽

01일 문장제 연습하기 · 필요한 최소 금액 구하기

★ 공부한 날 　월 　일 　　　1. 수의 범위와 어림하기 / 정답과 해설 2쪽

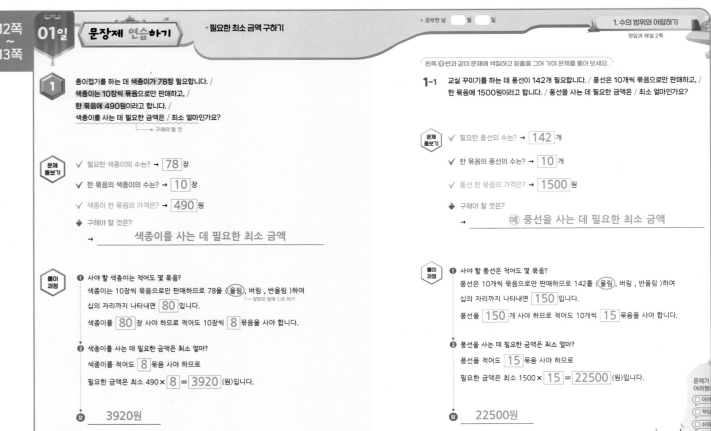

1 종이접기를 하는 데 **색종이가 78장 필요합니다.** / 색종이는 10장씩 묶음으로만 판매하고, / 한 묶음에 490원이라고 합니다. / 색종이를 사는 데 필요한 금액은 / 최소 얼마인가요?
└─→ 구해야 할 것

문제 돋보기
✓ 필요한 색종이의 수는? → **78** 장
✓ 한 묶음의 색종이의 수는? → **10** 장
✓ 색종이 한 묶음의 가격은? → **490** 원
◆ 구해야 할 것은?
→ 　色종이를 사는 데 필요한 최소 금액

풀이 과정
❶ 사야 할 색종이는 적어도 몇 묶음?
색종이는 10장씩 묶음으로만 판매하므로 78을 (**올림**), 버림 , 반올림)하여
└─→ 알맞은 말에 ○표 하기
십의 자리까지 나타내면 **80** 입니다.
색종이를 **80** 장 사야 하므로 적어도 10장씩 **8** 묶음을 사야 합니다.

❷ 색종이를 사는 데 필요한 금액은 최소 얼마?
색종이를 적어도 **8** 묶음 사야 하므로
필요한 금액은 최소 490× **8** = **3920** (원)입니다.

답 　**3920원**

왼쪽 **1**번과 같이 문제에 색칠하고 밑줄을 그어 가며 문제를 풀어 보세요.

1-1 교실 꾸미기를 하는 데 **풍선이 142개 필요합니다.** / 풍선은 10개씩 묶음으로만 판매하고, / 한 묶음에 1500원이라고 합니다. / 풍선을 사는 데 필요한 금액은 / 최소 얼마인가요?

문제 돋보기
✓ 필요한 풍선의 수는? → **142** 개
✓ 한 묶음의 풍선의 수는? → **10** 개
✓ 풍선 한 묶음의 가격은? → **1500** 원
◆ 구해야 할 것은?
→ 　예 풍선을 사는 데 필요한 최소 금액

풀이 과정
❶ 사야 할 풍선은 적어도 몇 묶음?
풍선은 10개씩 묶음으로만 판매하므로 142를 (**올림**), 버림 , 반올림)하여
십의 자리까지 나타내면 **150** 입니다.
풍선을 **150** 개 사야 하므로 적어도 10개씩 **15** 묶음을 사야 합니다.

❷ 풍선을 사는 데 필요한 금액은 최소 얼마?
풍선을 적어도 **15** 묶음 사야 하므로
필요한 금액은 최소 1500× **15** = **22500** (원)입니다.

답 　**22500원**

문제가 어려웠니
○ 어려
○ 적당
○ 쉬웠

문장제 연습하기
+ 받을 수 있는 최대 금액 구하기

1. 수의 범위와 어림하기
정답과 해설 3쪽

14쪽
~
15쪽

2 유진이네 밭에서 감자를 531 kg 캤습니다. /
이 감자를 10 kg씩 상자에 담아서 /
한 상자에 10000원씩 팔려고 합니다. /
상자에 담은 감자를 모두 판다면 /
받을 수 있는 금액은 / 최대 얼마인가요?
→ 구해야 할 것

문제 돋보기

✓ 캔 감자의 무게는? → 531 kg

✓ 한 상자에 담을 감자의 무게는? → 10 kg

✓ 감자 한 상자의 가격은? → 10000 원

◆ 구해야 할 것은?
→ 감자를 팔아서 받을 수 있는 최대 금액

풀이 과정

❶ 팔 수 있는 감자는 최대 몇 상자?
감자를 10 kg씩 상자에 담아서 팔아야 하므로 531을 (올림 , (버림) , 반올림)하여
십의 자리까지 나타내면 530 입니다.
감자 530 kg을 10 kg씩 상자에 담으면 최대 53 상자를 팔 수 있습니다.

❷ 감자를 팔아서 받을 수 있는 금액은 최대 얼마?
팔 수 있는 감자는 최대 53 상자이므로 감자를 팔아서 받을 수 있는 금액은
최대 10000 × 53 = 530000 (원)입니다.

답 530000원

왼쪽 ❷번과 같이 문제에 색칠하고 밑줄을 그어 가며 문제를 풀어보세요.

2-1 슬기네 과수원에서 귤을 1636개 땄습니다. / 이 귤을 100개씩 상자에 담아서 /
한 상자에 20000원씩 팔려고 합니다. / 상자에 담은 귤을 모두 판다면 /
받을 수 있는 금액은 / 최대 얼마인가요?

문제 돋보기

✓ 딴 귤의 수는? → 1636 개

✓ 한 상자에 담을 귤의 수는? → 100 개

✓ 귤 한 상자의 가격은? → 20000 원

◆ 구해야 할 것은?
→ (예) 귤을 팔아서 받을 수 있는 최대 금액

풀이 과정

❶ 팔 수 있는 귤은 최대 몇 상자?
귤을 100개씩 상자에 담아서 팔아야 하므로 1636을 (올림 , (버림) , 반올림)하여
백의 자리까지 나타내면 1600 입니다.
귤 1600 개를 100개씩 상자에 담으면 최대 16 상자를 팔 수 있습니다.

❷ 귤을 팔아서 받을 수 있는 금액은 최대 얼마?
팔 수 있는 귤은 최대 16 상자이므로 귤을 팔아서 받을 수 있는 금액은
최대 20000 × 16 = 320000 (원)입니다.

답 320000원

문제가 어려웠나

문장제 실력 쌓기
+ 필요한 최소 금액 구하기
+ 받을 수 있는 최대 금액 구하기

1. 수의 범위와 어림하기
정답과 해설 3쪽

16쪽
~
17쪽

문제를 읽고 '연습하기'에서 했던 것처럼 밑줄을 그어 가며 문제를 풀어 보세요.

1 상자를 모두 포장하는 데 포장지가 65장 필요합니다. 포장지는 10장씩 묶음으로만
판매하고, 한 묶음에 890원이라고 합니다. 포장지를 사는 데 필요한 금액은
최소 얼마인가요?

❶ 사야 할 포장지는 적어도 몇 묶음?
(예) 포장지는 10장씩 묶음으로만 판매하므로 65를 올림하여
십의 자리까지 나타내면 70입니다.
포장지를 70장 사야 하므로 적어도 10장씩 7묶음을 사야 합니다.

❷ 포장지를 사는 데 필요한 금액은 최소 얼마?
(예) 포장지를 적어도 7묶음 사야 하므로 필요한 금액은
최소 890 × 7 = 6230(원)입니다.

답 6230원

2 현우네 반 학생들에게 연필 157자루를 나누어 주려고 합니다. 연필은 10자루씩
묶음으로만 판매하고, 한 묶음에 2500원이라고 합니다. 연필을 사는 데 필요한 금액은
최소 얼마인가요?

❶ 사야 할 연필은 적어도 몇 묶음?
(예) 연필은 10자루씩 묶음으로만 판매하므로 157을 올림하여
십의 자리까지 나타내면 160입니다.
연필을 160자루 사야 하므로 적어도 10자루씩 16묶음을 사야 합니다.

❷ 연필을 사는 데 필요한 금액은 최소 얼마?
(예) 연필을 적어도 16묶음 사야 하므로 필요한 금액은
최소 2500 × 16 = 40000(원)입니다.

답 40000원

3 진수네 밭에서 가지를 479 kg 땄습니다. 이 가지를 10 kg씩 상자에 담아서 한 상자에
19000원씩 팔려고 합니다. 상자에 담은 가지를 모두 판다면 받을 수 있는 금액은
최대 얼마인가요?

❶ 팔 수 있는 가지는 최대 몇 상자?
(예) 가지를 10 kg씩 상자에 담아서 팔아야 하므로 479를 버림하여
십의 자리까지 나타내면 470입니다.
가지 470 kg을 10 kg씩 상자에 담으면 최대 47상자를 팔 수 있습니다.

❷ 가지를 팔아서 받을 수 있는 금액은 최대 얼마?
(예) 팔 수 있는 가지는 최대 47상자이므로 가지를 팔아서 받을 수 있는
금액은 최대 19000 × 47 = 893000(원)입니다.

답 893000원

4 제과점에서 쿠키를 1805개 구웠습니다. 이 쿠키를 100개씩 상자에 담아서 한 상자에
26000원씩 팔려고 합니다. 상자에 담은 쿠키를 모두 판다면 받을 수 있는 금액은
최대 얼마인가요?

❶ 팔 수 있는 쿠키는 최대 몇 상자?
(예) 쿠키를 100개씩 상자에 담아서 팔아야 하므로 1805를 버림하여
백의 자리까지 나타내면 1800입니다.
쿠키 1800개를 100개씩 상자에 담으면 최대 18상자를 팔 수 있습니다.

❷ 쿠키를 팔아서 받을 수 있는 금액은 최대 얼마?
(예) 팔 수 있는 쿠키는 최대 18상자이므로 쿠키를 팔아서 받을 수 있는
금액은 최대 26000 × 18 = 468000(원)입니다.

답 468000원

02일 문장제 연습하기 + 전체 수의 범위 구하기

★ 공부한 날 [ ]월 [ ]일

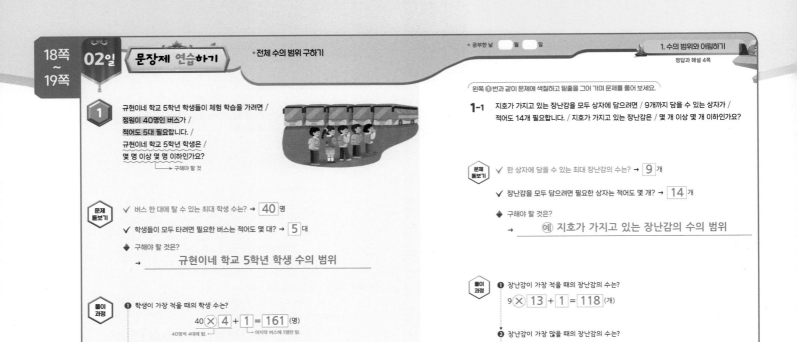

1 규현이네 학교 5학년 학생들이 체험 학습을 가려면 / 정원이 40명인 버스가 / 적어도 5대 필요합니다. / 규현이네 학교 5학년 학생은 / 몇 명 이상 몇 명 이하인가요?
→ 구해야 할 것

문제 돋보기
✓ 버스 한 대에 탈 수 있는 최대 학생 수는? → 40 명
✓ 학생들이 모두 타려면 필요한 버스는 적어도 몇 대? → 5 대
◆ 구해야 할 것은?
→ 규현이네 학교 5학년 학생 수의 범위

풀이 과정
❶ 학생이 가장 적을 때의 학생 수는?
40 ✕ 4 + 1 = 161 (명)
└ 40명씩 4대에 탐. └ 마지막 버스에 1명만 탐.
❷ 학생이 가장 많을 때의 학생 수는?
40 ✕ 5 = 200 (명)
└ 5대에 모두 40명씩 탐.
❸ 규현이네 학교 5학년 학생 수의 범위는?
규현이네 학교 5학년 학생은 161 명 이상 200 명 이하입니다.

답 __161명 이상 200명 이하__

왼쪽 ❶번과 같이 문제에 색칠하고 밑줄을 그어 가며 문제를 풀어 보세요.

1-1 지호가 가지고 있는 장난감을 모두 상자에 담으려면 / 9개까지 담을 수 있는 상자가 / 적어도 14개 필요합니다. / 지호가 가지고 있는 장난감은 / 몇 개 이상 몇 개 이하인가요?

문제 돋보기
✓ 한 상자에 담을 수 있는 최대 장난감의 수는? → 9 개
✓ 장난감을 모두 담으려면 필요한 상자는 적어도 몇 개? → 14 개
◆ 구해야 할 것은?
→ (예) 지호가 가지고 있는 장난감의 수의 범위

풀이 과정
❶ 장난감이 가장 적을 때의 장난감의 수는?
9 ✕ 13 + 1 = 118 (개)
❷ 장난감이 가장 많을 때의 장난감의 수는?
9 ✕ 14 = 126 (개)
❸ 지호가 가지고 있는 장난감의 수의 범위는?
지호가 가지고 있는 장난감은 118 개 이상 126 개 이하입니다.

답 __118개 이상 126개 이하__

문제가 어려웠나
○ 어려
○ 적당
○ 쉬워

문장제 연습하기 + 조건을 만족하는 수 구하기

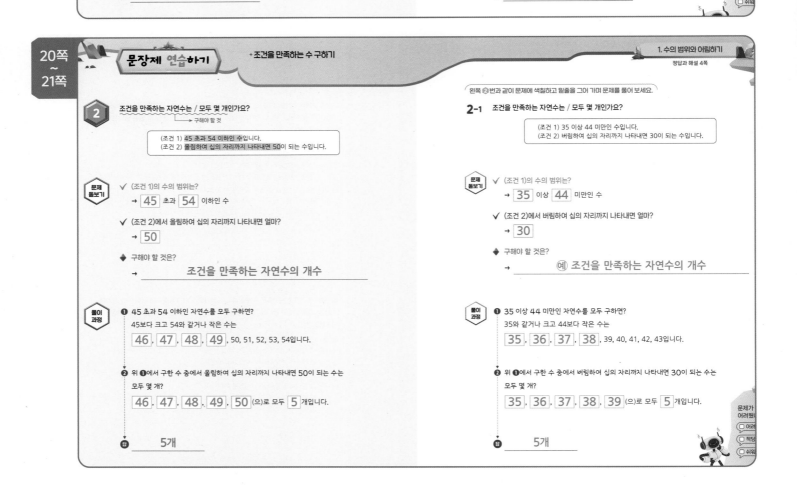

2 조건을 만족하는 자연수는 / 모두 몇 개인가요?
→ 구해야 할 것
(조건 1) 45 초과 54 이하인 수입니다.
(조건 2) 올림하여 십의 자리까지 나타내면 50이 되는 수입니다.

문제 돋보기
✓ (조건 1)의 수의 범위는?
→ 45 초과 54 이하인 수
✓ (조건 2)에서 올림하여 십의 자리까지 나타내면 얼마?
→ 50
◆ 구해야 할 것은?
→ 조건을 만족하는 자연수의 개수

풀이 과정
❶ 45 초과 54 이하인 자연수를 모두 구하면?
45보다 크고 54와 같거나 작은 수는
46 , 47 , 48 , 49 , 50, 51, 52, 53, 54입니다.
❷ 위 ❶에서 구한 수 중에서 올림하여 십의 자리까지 나타내면 50이 되는 수는 모두 몇 개?
46 , 47 , 48 , 49 , 50 (으)로 모두 5 개입니다.

답 __5개__

왼쪽 ❷번과 같이 문제에 색칠하고 밑줄을 그어 가며 문제를 풀어 보세요.

2-1 조건을 만족하는 자연수는 / 모두 몇 개인가요?
(조건 1) 35 이상 44 미만인 수입니다.
(조건 2) 버림하여 십의 자리까지 나타내면 30이 되는 수입니다.

문제 돋보기
✓ (조건 1)의 수의 범위는?
→ 35 이상 44 미만인 수
✓ (조건 2)에서 버림하여 십의 자리까지 나타내면 얼마?
→ 30
◆ 구해야 할 것은?
→ (예) 조건을 만족하는 자연수의 개수

풀이 과정
❶ 35 이상 44 미만인 자연수를 모두 구하면?
35와 같거나 크고 44보다 작은 수는
35 , 36 , 37 , 38 , 39, 40, 41, 42, 43입니다.
❷ 위 ❶에서 구한 수 중에서 버림하여 십의 자리까지 나타내면 30이 되는 수는 모두 몇 개?
35 , 36 , 37 , 38 , 39 (으)로 모두 5 개입니다.

답 __5개__

문제가 어려웠나
○ 어려
○ 적당
○ 쉬워

+ 전체 수의 범위 구하기
+ 조건을 만족하는 수 구하기

1. 수의 범위와 어림하기
정답과 해설 5쪽

22쪽
~
23쪽

문제를 읽고 '연습하기'에서 했던 것처럼 밑줄을 그어 가며 문제를 풀어 보세요.

1 은미네 학교 5학년 학생들이 모두 보트를 타려면 정원이 20명인 보트가 적어도 12대 필요합니다. 은미네 학교 5학년 학생은 몇 명 이상 몇 명 이하인가요?

❶ 학생이 가장 적을 때의 학생 수는?
예) 20×11+1=221(명)

❷ 학생이 가장 많을 때의 학생 수는?
예) 20×12=240(명)

❸ 은미네 학교 5학년 학생 수의 범위는?
예) 은미네 학교 5학년 학생은 221명 이상 240명 이하입니다.

답 __221명 이상 240명 이하__

2 재찬이네 공방에서 만든 지갑을 모두 상자에 담으려면 100개까지 담을 수 있는 상자가 적어도 18개 필요합니다. 재찬이네 공방에서 만든 지갑은 몇 개 이상 몇 개 이하인가요?

❶ 지갑이 가장 적을 때의 지갑의 수는?
예) 100×17+1=1701(개)

❷ 지갑이 가장 많을 때의 지갑의 수는?
예) 100×18=1800(개)

❸ 재찬이네 공방에서 만든 지갑의 수의 범위는?
예) 재찬이네 공방에서 만든 지갑은 1701개 이상 1800개 이하입니다.

답 __1701개 이상 1800개 이하__

3 조건을 만족하는 자연수는 모두 몇 개인가요?

(조건 1) 56 초과 64 이하인 수입니다.
(조건 2) 올림하여 십의 자리까지 나타내면 60이 되는 수입니다.

❶ 56 초과 64 이하인 자연수를 모두 구하면?
예) 56보다 크고 64와 같거나 작은 수는 57, 58, 59, 60, 61, 62, 63, 64입니다.

❷ 위 ❶에서 구한 수 중에서 올림하여 십의 자리까지 나타내면 60이 되는 수는 모두 몇 개?
예) 57, 58, 59, 60으로 모두 4개입니다.

답 __4개__

4 조건을 만족하는 자연수는 모두 몇 개인가요?

(조건 1) 71 이상 80 미만인 수입니다.
(조건 2) 반올림하여 십의 자리까지 나타내면 80이 되는 수입니다.

❶ 71 이상 80 미만인 자연수를 모두 구하면?
예) 71과 같거나 크고 80보다 작은 수는 71, 72, 73, 74, 75, 76, 77, 78, 79입니다.

❷ 위 ❶에서 구한 수 중에서 반올림하여 십의 자리까지 나타내면 80이 되는 수는 모두 몇 개?
예) 75, 76, 77, 78, 79로 모두 5개입니다.

답 __5개__

03일 단원 마무리

＊공부한 날   월   일

1. 수의 범위와 어림하기
정답과 해설 5쪽

24쪽
~
25쪽

1 12쪽 필요한 최소 금액 구하기

서희네 반 학생들에게 구슬 53개를 나누어 주려고 합니다. 구슬은 10개씩 묶음으로만 판매하고, 한 묶음에 3000원이라고 합니다. 구슬을 사는 데 필요한 금액은 최소 얼마인가요?

풀이 예) 구슬은 10개씩 묶음으로만 판매하므로 53을 올림하여 십의 자리까지 나타내면 60입니다.
구슬을 60개 사야 하므로 적어도 10개씩 6묶음을 사야 합니다.
따라서 구슬을 사는 데 필요한 금액은 최소 3000×6=18000(원)입니다.

답 __18000원__

2 18쪽 전체 수의 범위 구하기

수지네 학교 5학년 학생들이 정원이 10명인 케이블카를 모두 타려면 케이블카는 적어도 7번 운행해야 합니다. 수지네 학교 5학년 학생은 몇 명 이상 몇 명 이하인가요?

풀이 예) 학생이 가장 적을 때의 학생 수는 10×6+1=61(명)이고,
학생이 가장 많을 때의 학생 수는 10×7=70(명)입니다.
따라서 수지네 학교 5학년 학생은 61명 이상 70명 이하입니다.

답 __61명 이상 70명 이하__

3 14쪽 받을 수 있는 최대 금액 구하기

솜사탕 가게에 설탕이 649 g 있습니다. 솜사탕 한 개를 만드는 데 설탕이 10 g 필요하고 솜사탕은 한 개에 2000원씩 팔려고 합니다. 만든 솜사탕을 모두 판다면 받을 수 있는 금액은 최대 얼마인가요?

풀이 예) 솜사탕 한 개를 만드는 데 설탕이 10 g 필요하므로 649를 버림하여 십의 자리까지 나타내면 640입니다.
설탕 640 g을 10 g씩 사용하면 솜사탕을 최대 64개 만들어 팔 수 있습니다.
따라서 솜사탕을 팔아서 받을 수 있는 금액은 최대 2000×64=128000(원)입니다.

답 __128000원__

4 18쪽 전체 수의 범위 구하기

나래네 마을 사람들이 8명까지 앉을 수 있는 긴 의자에 모두 앉으려면 긴 의자가 적어도 22개 필요합니다. 나래네 마을 사람은 몇 명 이상 몇 명 이하인가요?

풀이 예) 마을 사람이 가장 적을 때의 사람 수는 8×21+1=169(명)이고,
마을 사람이 가장 많을 때의 사람 수는 8×22=176(명)입니다.
따라서 나래네 마을 사람은 169명 이상 176명 이하입니다.

답 __169명 이상 176명 이하__

5 14쪽 받을 수 있는 최대 금액 구하기

색 테이프 2546 cm를 1 m 단위로 팔려고 합니다. 1 m에 1700원씩 판다면 색 테이프를 팔아서 받을 수 있는 금액은 최대 얼마인가요?

풀이 예) 색 테이프를 1 m=100 cm 단위로 팔아야 하므로 2546을 버림하여 백의 자리까지 나타내면 2500입니다.
색 테이프 2500 cm를 100 cm 단위로 팔면 최대 25묶음을 팔 수 있습니다.
따라서 색 테이프를 팔아서 받을 수 있는 금액은 최대 1700×25=42500(원)입니다.

답 __42500원__

20쪽 조건을 만족하는 수 구하기

6 반올림하여 십의 자리까지 나타내면 20이 되는 자연수 중에서 18 미만인 수를 모두 구해 보세요.

(풀이) (예) 반올림하여 십의 자리까지 나타내면 20이 되는 자연수는 15, 16, 17, 18, 19, 20, 21, 22, 23, 24입니다.
구한 수 중에서 18보다 작은 수는 15, 16, 17입니다.

답 __15, 16, 17__

12쪽 필요한 최소 금액 구하기

7 경표네 학교 학생 263명에게 공책을 2권씩 나누어 주려고 합니다. 공책은 100권씩 묶음으로만 판매하고, 한 묶음에 75000원이라고 합니다. 공책을 사는 데 필요한 금액은 최소 얼마인가요?

(풀이) (예) 학생들에게 나누어 주려는 공책은 263 × 2 = 526(권)입니다.
공책은 100권씩 묶음으로만 판매하므로 526을 올림하여 백의 자리까지 나타내면 600입니다.
공책을 600권 사야 하므로 적어도 100권씩 6묶음을 사야 합니다.
따라서 공책을 사는 데 필요한 금액은 답 __450000원__
최소 75000 × 6 = 450000(원)입니다.

20쪽 조건을 만족하는 수 구하기

8 조건을 만족하는 자연수는 모두 몇 개인가요?

> (조건 1) 127 초과 136 이하인 수입니다.
> (조건 2) 올림하여 십의 자리까지 나타내면 130이 되는 수입니다.

(풀이) (예) 127보다 크고 136과 같거나 작은 수는 128, 129, 130, 131, 132, 133, 134, 135, 136입니다.
구한 수 중에서 올림하여 십의 자리까지 나타내면 130이 되는 수는 128, 129, 130으로 모두 3개입니다.

답 __3개__

12쪽 필요한 최소 금액 구하기

9 빵 한 개를 만드는 데 밀가루가 160 g 필요합니다. 마트에서 한 봉지에 1000 g씩 들어 있는 밀가루를 2400원에 팔고 있습니다. 이 밀가루를 사서 똑같은 빵 20개를 만드는 데 필요한 금액은 최소 얼마인가요?

(풀이) (예) 빵 20개를 만드는 데 필요한 밀가루는 160 × 20 = 3200(g)입니다.
밀가루는 1000 g씩 들어 있는 봉지로만 팔고 있으므로 3200을 올림하여 천의 자리까지 나타내면 4000입니다.
밀가루를 4000 g 사야 하므로 적어도 1000 g씩 4봉지를 사야 합니다.
따라서 필요한 금액은 최소 2400 × 4 = 9600(원)입니다.

답 __9600원__

20쪽 조건을 만족하는 수 구하기

10 도전 문제

세 사람이 말하는 조건을 만족하는 자연수는 모두 몇 개인가요?

> 민유: 올림하여 십의 자리까지 나타내면 480이 되는 수야.
> 정수: 버림하여 십의 자리까지 나타내면 470이 되는 수야.
> 예성: 470 이상 475 미만인 수야.

❶ 올림하여 십의 자리까지 나타내면 480이 되는 자연수를 모두 구하면?
(예) 471, 472, 473, 474, 475, 476, 477, 478, 479, 480

❷ 위 ❶에서 구한 수 중에서 버림하여 십의 자리까지 나타내면 470이 되는 수를 모두 구하면?
(예) 471, 472, 473, 474, 475, 476, 477, 478, 479

❸ 위 ❷에서 구한 수 중에서 470 이상 475 미만인 수는 모두 몇 개?
(예) 470과 같거나 크고 475보다 작은 수는 471, 472, 473, 474로 모두 4개입니다.

답 __4개__

2. 분수의 곱셈

❶ 계산 결과를 기약분수나 대분수로 나타내지 않아도 정답으로 인정합니다.

문장제 연습하기   +남은 양 구하기

★ 공부한 날   월   일

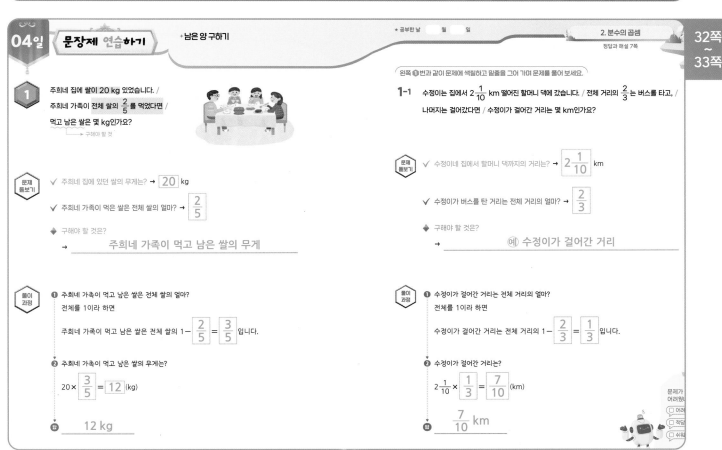

문장제 연습하기 ✦처음의 양 구하기

2 인서가 가지고 있던 철사의 $\frac{7}{8}$을 사용했더니 /

$10\frac{1}{2}$ cm가 남았습니다. /

인서가 처음에 가지고 있던 철사는 몇 cm인가요?
→ 구해야 할 것

 문제 돌보기

✓ 인서가 사용한 철사는 처음에 가지고 있던 철사의 얼마? → $\boxed{\dfrac{7}{8}}$

✓ 인서가 사용하고 남은 철사의 길이는? → $\boxed{10\dfrac{1}{2}}$ cm

◆ 구해야 할 것은?
→ 인서가 처음에 가지고 있던 철사의 길이

풀이 과정

❶ 인서가 사용하고 남은 철사는 처음에 가지고 있던 철사의 얼마?

전체를 1이라 하면 인서가 사용하고 남은 철사는

처음에 가지고 있던 철사의 $1 - \boxed{\dfrac{7}{8}} = \boxed{\dfrac{1}{8}}$ 입니다.

❷ 인서가 처음에 가지고 있던 철사의 길이는?

인서가 처음에 가지고 있던 철사를 ■ cm라 하면

■의 $\dfrac{1}{8}$이 $\boxed{10\dfrac{1}{2}}$ 이므로 ■는 $10\dfrac{1}{2} \times 8 = \boxed{84}$ 입니다.

따라서 인서가 처음에 가지고 있던 철사는 $\boxed{84}$ cm입니다.

답 **84 cm**

왼쪽 ❷번과 같이 문제에 색칠하고 밑줄을 그어 가며 문제를 풀어 보세요.

2-1 혜지가 가지고 있던 밀가루의 $\frac{8}{9}$을 사용하여 빵을 만들었더니 / $1\frac{4}{5}$ kg이 남았습니다. /

혜지가 처음에 가지고 있던 밀가루는 몇 kg인가요?

 문제 돌보기

✓ 혜지가 빵을 만드는 데 사용한 밀가루는 처음에 가지고 있던 밀가루의 얼마? → $\boxed{\dfrac{8}{9}}$

✓ 혜지가 빵을 만들고 남은 밀가루의 무게는? → $\boxed{1\dfrac{4}{5}}$ kg

◆ 구해야 할 것은?
→ 예 혜지가 처음에 가지고 있던 밀가루의 무게

 풀이 과정

❶ 혜지가 빵을 만들고 남은 밀가루는 처음에 가지고 있던 밀가루의 얼마?

전체를 1이라 하면 혜지가 빵을 만들고 남은 밀가루는

처음에 가지고 있던 밀가루의 $1 - \boxed{\dfrac{8}{9}} = \boxed{\dfrac{1}{9}}$ 입니다.

❷ 혜지가 처음에 가지고 있던 밀가루의 무게는?

혜지가 처음에 가지고 있던 밀가루를 ■ kg이라 하면

■의 $\dfrac{1}{9}$이 $\boxed{1\dfrac{4}{5}}$ 이므로 ■는 $1\dfrac{4}{5} \times 9 = \boxed{16\dfrac{1}{5}}$ 입니다.

따라서 혜지가 처음에 가지고 있던 밀가루는 $\boxed{16\dfrac{1}{5}}$ kg입니다.

답 $16\dfrac{1}{5}$ **kg**

문제가 어려웠니
⬭ 어려
⬭ 적당
⬭ 쉬워

문장제 실력 쌓기 ✦남은 양 구하기 ✦처음의 양 구하기

문제를 읽고 '연습하기'에서 했던 것처럼 밑줄을 그어 가며 문제를 풀어 보세요.

1 다은이네 집에 보리가 16 kg 있었습니다. 다은이네 가족이 전체 보리의 $\frac{3}{8}$을 먹었다면

먹고 남은 보리는 몇 kg인가요?

❶ 다은이네 가족이 먹고 남은 보리는 전체 보리의 얼마?

예 전체를 1이라 하면 다은이네 가족이 먹고 남은 보리는

전체 보리의 $1 - \dfrac{3}{8} = \dfrac{5}{8}$입니다.

❷ 다은이네 가족이 먹고 남은 보리의 무게는?

예 $\overset{2}{\cancel{16}} \times \dfrac{5}{\cancel{8}} = 10$(kg)

답 **10 kg**

2 연호는 길이가 $1\frac{7}{12}$ m인 리본을 가지고 있었습니다. 선물을 포장하는 데 전체 리본의 $\frac{4}{7}$를

사용하고, 나머지는 장식품을 만드는 데 사용했습니다. 연호가 장식품을 만드는 데 사용한

리본은 몇 m인가요?

❶ 연호가 장식품을 만드는 데 사용한 리본은 전체 리본의 얼마?

예 전체를 1이라 하면 연호가 장식품을 만드는 데 사용한 리본은

전체 리본의 $1 - \dfrac{4}{7} = \dfrac{3}{7}$입니다.

❷ 연호가 장식품을 만드는 데 사용한 리본의 길이는?

예 $1\dfrac{7}{12} \times \dfrac{3}{7} = \dfrac{19}{12} \times \dfrac{3}{7} = \dfrac{19}{28}$(m)

답 $\dfrac{19}{28}$ **m**

3 빛나가 냉장고에 있던 우유의 $\frac{4}{5}$를 마셨더니 $\frac{3}{10}$ L가 남았습니다. 처음에 냉장고에 있던

우유는 몇 L인가요?

❶ 빛나가 마시고 남은 우유는 처음에 냉장고에 있던 우유의 얼마?

예 전체를 1이라 하면 빛나가 마시고 남은 우유는 처음에 냉장고에 있던

우유의 $1 - \dfrac{4}{5} = \dfrac{1}{5}$입니다.

❷ 처음에 냉장고에 있던 우유의 양은?

예 처음에 냉장고에 있던 우유를 ■ L라 하면

■의 $\dfrac{1}{5}$이 $\dfrac{3}{10}$이므로 ■는 $\dfrac{3}{\cancel{10}} \times \cancel{5} = \dfrac{3}{2} = 1\dfrac{1}{2}$입니다.

따라서 처음에 냉장고에 있던 우유는 $1\dfrac{1}{2}$ L입니다.

답 $1\dfrac{1}{2}$ **L**

4 미주가 가지고 있던 찰흙의 $\frac{3}{4}$을 사용하여 미술 작품을 만들었더니 $1\frac{5}{16}$ kg이 남았습니다.

미주가 처음에 가지고 있던 찰흙은 몇 kg인가요?

❶ 미주가 사용하고 남은 찰흙은 처음에 가지고 있던 찰흙의 얼마?

예 전체를 1이라 하면 미주가 사용하고 남은 찰흙은 처음에 가지고 있던

찰흙의 $1 - \dfrac{3}{4} = \dfrac{1}{4}$입니다.

❷ 미주가 처음에 가지고 있던 찰흙의 무게는?

예 미주가 처음에 가지고 있던 찰흙을 ■ kg이라 하면

■의 $\dfrac{1}{4}$이 $1\dfrac{5}{16}$이므로 ■는 $1\dfrac{5}{16} \times 4 = \dfrac{21}{\cancel{16}} \times \cancel{4} = \dfrac{21}{4} = 5\dfrac{1}{4}$입니다.

따라서 미주가 처음에 가지고 있던 찰흙은 $5\dfrac{1}{4}$ kg입니다.

답 $5\dfrac{1}{4}$ **kg**

05일 문장제 연습하기 + 이어 붙인 색 테이프의 전체 길이 구하기

1 길이가 $\dfrac{14}{15}$ cm인 색 테이프 3장을 / $\dfrac{1}{5}$ cm씩 겹치게 한 줄로 이어 붙였습니다. / 이어 붙인 색 테이프의 전체 길이는 몇 cm인가요?

→ 구해야 할 것

문제 돋보기

✓ 색 테이프 1장의 길이는? → $\dfrac{14}{15}$ cm

✓ 이어 붙인 색 테이프의 수는? → 3 장

✓ 색 테이프가 겹쳐진 한 부분의 길이는? → $\dfrac{1}{5}$ cm

◆ 구해야 할 것은?
→ 이어 붙인 색 테이프의 전체 길이

풀이 과정

❶ 색 테이프 3장의 길이의 합은?

$\dfrac{14}{15} \times 3 = 2\dfrac{4}{5}$ (cm)

❷ 색 테이프가 겹쳐진 부분의 길이의 합은?

색 테이프 3장을 이어 붙이면 겹쳐진 부분은 3-1= 2 (군데)이므로

색 테이프가 겹쳐진 부분의 길이의 합은 $\dfrac{1}{5} \times$ 2 $= \dfrac{2}{5}$ (cm)입니다.

❸ 이어 붙인 색 테이프의 전체 길이는?

$2\dfrac{4}{5} - \dfrac{2}{5} = 2\dfrac{2}{5}$ (cm)

└ 색 테이프 3장의 길이의 합   └ 색 테이프가 겹쳐진 부분의 길이의 합

답 $2\dfrac{2}{5}$ cm

왼쪽 ❶번과 같이 문제에 색칠하고 밑줄을 그어 가며 문제를 풀어 보세요.

1-1 길이가 $1\dfrac{5}{12}$ cm인 색 테이프 4장을 / $\dfrac{1}{9}$ cm씩 겹치게 한 줄로 이어 붙였습니다. / 이어 붙인 색 테이프의 전체 길이는 몇 cm인가요?

문제 돋보기

✓ 색 테이프 1장의 길이는? → $1\dfrac{5}{12}$ cm

✓ 이어 붙인 색 테이프의 수는? → 4 장

✓ 색 테이프가 겹쳐진 한 부분의 길이는? → $\dfrac{1}{9}$ cm

◆ 구해야 할 것은?
→  예 이어 붙인 색 테이프의 전체 길이

풀이 과정

❶ 색 테이프 4장의 길이의 합은?

$1\dfrac{5}{12} \times 4 = 5\dfrac{2}{3}$ (cm)

❷ 색 테이프가 겹쳐진 부분의 길이의 합은?

색 테이프 4장을 이어 붙이면 겹쳐진 부분은 4-1= 3 (군데)이므로

색 테이프가 겹쳐진 부분의 길이의 합은 $\dfrac{1}{9} \times$ 3 $= \dfrac{1}{3}$ (cm)입니다.

❸ 이어 붙인 색 테이프의 전체 길이는?

$5\dfrac{2}{3} - \dfrac{1}{3} = 5\dfrac{1}{3}$ (cm)

답 $5\dfrac{1}{3}$ cm

---

2 1분 동안 ㉮ 수도꼭지에서는 $3\dfrac{1}{3}$ L씩, / ㉯ 수도꼭지에서는 $4\dfrac{2}{5}$ L씩 / 물이 일정하게 나옵니다. / 두 수도꼭지를 동시에 틀어서 / 2분 30초 동안 받을 수 있는 물은 / 모두 몇 L인가요?

→ 구해야 할 것

문제 돋보기

✓ 1분 동안 ㉮ 수도꼭지에서 나오는 물의 양은? → $3\dfrac{1}{3}$ L

✓ 1분 동안 ㉯ 수도꼭지에서 나오는 물의 양은? → $4\dfrac{2}{5}$ L

◆ 구해야 할 것은?
→ 두 수도꼭지를 동시에 틀어서 2분 30초 동안 받을 수 있는 물의 양

풀이 과정

❶ 두 수도꼭지를 동시에 틀어서 1분 동안 받을 수 있는 물의 양은?

$3\dfrac{1}{3} + 4\dfrac{2}{5} = 7\dfrac{11}{15}$ (L)

❷ 2분 30초를 분 단위로 나타내면?

2분 30초 $= 2\dfrac{30}{60}$ 분 $= 2\dfrac{1}{2}$ 분

❸ 두 수도꼭지를 동시에 틀어서 2분 30초 동안 받을 수 있는 물의 양은?

$7\dfrac{11}{15} \times 2\dfrac{1}{2} = \dfrac{116}{15} \times \dfrac{5}{2} = \dfrac{58}{3} = 19\dfrac{1}{3}$ (L)

답 $19\dfrac{1}{3}$ L

왼쪽 ❷번과 같이 문제에 색칠하고 밑줄을 그어 가며 문제를 풀어 보세요.

2-1 1분에 지훈이는 $57\dfrac{4}{9}$ m를 가는 빠르기로 걷고, / 유정이는 $60\dfrac{1}{2}$ m를 가는 빠르기로 걸었습니다. / 두 사람이 같은 곳에서 같은 방향으로 동시에 출발한다면 / 3분 12초 후에 두 사람 사이의 거리는 몇 m인가요?

문제 돋보기

✓ 1분에 지훈이가 걷는 거리는? → $57\dfrac{4}{9}$ m

✓ 1분에 유정이가 걷는 거리는? → $60\dfrac{1}{2}$ m

◆ 구해야 할 것은?
→ 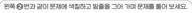 예 3분 12초 후에 두 사람 사이의 거리

풀이 과정

❶ 1분 후에 두 사람 사이의 거리는?

$60\dfrac{1}{2} - 57\dfrac{4}{9} = 3\dfrac{1}{18}$ (m)

❷ 3분 12초를 분 단위로 나타내면?

3분 12초 $= 3\dfrac{12}{60}$ 분 $= 3\dfrac{1}{5}$ 분

❸ 3분 12초 후에 두 사람 사이의 거리는?

$3\dfrac{1}{18} \times 3\dfrac{1}{5} = \dfrac{55}{18} \times \dfrac{16}{5} = \dfrac{88}{9} = 9\dfrac{7}{9}$ (m)

답 $9\dfrac{7}{9}$ m

9

문장제 실력 쌓기

+ 이어 붙인 색 테이프의 전체 길이 구하기
+ 시간을 분수로 나타내어 곱 구하기

문제를 읽고 '연습하기'에서 했던 것처럼 밑줄을 그어 가며 문제를 풀어 보세요.

1 길이가 $2\frac{2}{9}$ cm인 색 테이프 3장을 $\frac{5}{6}$ cm씩 겹치게 한 줄로 이어 붙였습니다.
이어 붙인 색 테이프의 전체 길이는 몇 cm인가요?

❶ 색 테이프 3장의 길이의 합은?
예) $2\frac{2}{9} \times 3 = \frac{20}{9} \times \overset{1}{3} = \frac{20}{3} = 6\frac{2}{3}$(cm)

❷ 색 테이프가 겹쳐진 부분의 길이의 합은?
예) 색 테이프 3장을 이어 붙이면 겹쳐진 부분은 3−1=2(군데)이므로
색 테이프가 겹쳐진 부분의 길이의 합은 $\frac{5}{6} \times 2 = \frac{5}{3} = 1\frac{2}{3}$(cm)입니다.

❸ 이어 붙인 색 테이프의 전체 길이는?
예) $6\frac{2}{3} - 1\frac{2}{3} = 5$(cm)

답 __5 cm__

2 길이가 $4\frac{3}{8}$ cm인 색 테이프 6장을 $1\frac{8}{15}$ cm씩 겹치게 한 줄로 이어 붙였습니다.
이어 붙인 색 테이프의 전체 길이는 몇 cm인가요?

❶ 색 테이프 6장의 길이의 합은?
예) $4\frac{3}{8} \times 6 = \frac{35}{8} \times \overset{3}{6} = \frac{105}{4} = 26\frac{1}{4}$(cm)

❷ 색 테이프가 겹쳐진 부분의 길이의 합은?
예) 색 테이프 6장을 이어 붙이면 겹쳐진 부분은 6−1=5(군데)이므로
색 테이프가 겹쳐진 부분의 길이의 합은 $1\frac{8}{15} \times 5 = \frac{23}{15} \times \overset{1}{5} = \frac{23}{3} = 7\frac{2}{3}$(cm)입니다.

❸ 이어 붙인 색 테이프의 전체 길이는?
예) $26\frac{1}{4} - 7\frac{2}{3} = 26\frac{3}{12} - 7\frac{8}{12} = 25\frac{15}{12} - 7\frac{8}{12} = 18\frac{7}{12}$(cm)

답 __$18\frac{7}{12}$ cm__

3 물통에 1분 동안 $4\frac{3}{4}$ L씩 물이 일정하게 나오는 수도꼭지로 물을 받으려고 합니다.
이 물통에 구멍이 나서 1분 동안 $1\frac{7}{10}$ L 물이 샌다면 1분 20초 동안 받을 수 있는
물은 몇 L인가요?

❶ 물통에 1분 동안 받을 수 있는 물의 양은?
예) $4\frac{3}{4} - 1\frac{7}{10} = 4\frac{15}{20} - 1\frac{14}{20} = 3\frac{1}{20}$(L)

❷ 1분 20초를 분 단위로 나타내면?
예) 1분 20초 $= 1\frac{\overset{1}{20}}{60}$분 $= 1\frac{1}{3}$분

❸ 물통에 1분 20초 동안 받을 수 있는 물의 양은?
예) $3\frac{1}{20} \times 1\frac{1}{3} = \frac{61}{20} \times \frac{4}{3} = \frac{61}{15} = 4\frac{1}{15}$(L)

답 __$4\frac{1}{15}$ L__

4 1시간에 각각 $18\frac{2}{9}$ km, $17\frac{5}{9}$ km의 빠르기로 달리는 두 자전거가 있습니다. 두 자전거가
일정한 빠르기로 같은 곳에서 반대 방향으로 동시에 출발했다면 1시간 45분 후에
두 자전거 사이의 거리는 몇 km인가요?

❶ 1시간 후에 두 자전거 사이의 거리는?
예) $18\frac{2}{9} + 17\frac{5}{9} = 18\frac{6}{9} + 17\frac{5}{9} = 35\frac{11}{9} = 36\frac{2}{9}$(km)

❷ 1시간 45분을 시간 단위로 나타내면?
예) 1시간 45분 $= 1\frac{\overset{3}{45}}{60}$시간 $= 1\frac{3}{4}$시간

❸ 1시간 45분 후에 두 자전거 사이의 거리는?
예) $36\frac{2}{9} \times 1\frac{3}{4} = \frac{\overset{163}{326}}{9} \times \frac{7}{\underset{2}{4}} = \frac{1141}{18} = 63\frac{7}{18}$(km)

답 __$63\frac{7}{18}$ km__

문장제 연습하기

+ 튀어 오른 공의 높이 구하기

★ 공부한 날　　월　　일

1 떨어진 높이의 $\frac{3}{4}$만큼 /
튀어 오르는 공이 있습니다. /
이 공을 100 cm 높이에서 떨어뜨렸을 때 /
공이 두 번째로 튀어 오르는 높이는 /
몇 cm인가요? → 구해야 할 것

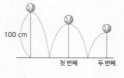

100 cm
첫 번째　두 번째

문제 돋보기

✓ 공이 튀어 오르는 높이는 떨어진 높이의 얼마? → $\boxed{\frac{3}{4}}$

✓ 처음 공을 떨어뜨린 높이는? → $\boxed{100}$ cm

◆ 구해야 할 것은?
→ __공이 두 번째로 튀어 오르는 높이__

풀이 과정

❶ 공이 첫 번째로 튀어 오르는 높이는?
$\boxed{100} \times \frac{3}{4} = \boxed{75}$(cm)
└ 처음 공을 떨어뜨린 높이

❷ 공이 두 번째로 튀어 오르는 높이는?
$\boxed{75} \times \frac{3}{4} = \boxed{56\frac{1}{4}}$(cm)
└ 공이 첫 번째로 튀어 오르는 높이

답 __$56\frac{1}{4}$ cm__

왼쪽 ❶번과 같이 문제에 색칠하고 밑줄을 그어 가며 문제를 풀어 보세요.

1-1 떨어진 높이의 $\frac{2}{3}$만큼 / 튀어 오르는 공이
있습니다. / 이 공을 $\frac{21}{22}$ m 높이에서
떨어뜨렸을 때 / 공이 세 번째로
튀어 오르는 높이는 / 몇 m인가요?

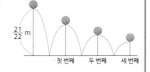

$\frac{21}{22}$ m
첫 번째　두 번째　세 번째

문제 돋보기

✓ 공이 튀어 오르는 높이는 떨어진 높이의 얼마? → $\boxed{\frac{2}{3}}$

✓ 처음 공을 떨어뜨린 높이는? → $\boxed{\frac{21}{22}}$ m

◆ 구해야 할 것은?
→ 예) 공이 세 번째로 튀어 오르는 높이

풀이 과정

❶ 공이 첫 번째로 튀어 오르는 높이는?
$\boxed{\frac{21}{22}} \times \frac{2}{3} = \boxed{\frac{7}{11}}$(m)

❷ 공이 두 번째로 튀어 오르는 높이는?
$\boxed{\frac{7}{11}} \times \frac{2}{3} = \boxed{\frac{14}{33}}$(m)

❸ 공이 세 번째로 튀어 오르는 높이는?
$\boxed{\frac{14}{33}} \times \frac{2}{3} = \boxed{\frac{28}{99}}$(m)

답 __$\frac{28}{99}$ m__

문제가
어려웠

2   하루에 $1\frac{1}{6}$분씩 빨라지는 시계가 있습니다. /
이 시계를 오늘 오전 9시에 정확하게 맞추었다면 /
5일 후 오전 9시에 / 이 시계가 가리키는 시각은 /
오전 몇 시 몇 분 몇 초인가요? → 구해야 할 것

문제 돌보기

✔ 시계가 하루에 빨라지는 시간은? → $1\frac{1}{6}$ 분

✔ 오늘 시계를 정확하게 맞춘 시각은? → 오전 **9** 시

◆ 구해야 할 것은?
→ <u>5일 후 오전 9시에 이 시계가 가리키는 시각</u>

풀이 과정

❶ 5일 동안 빨라지는 시간은?

$1\frac{1}{6} \times 5 = \frac{7}{6} \times 5 = \frac{35}{6} = 5\frac{5}{6}$ (분)

→ 하루에 빨라지는 시간

❷ 위 ❶에서 구한 시간을 몇 분 몇 초로 나타내면?

$5\frac{5}{6}$ 분 $= 5\frac{50}{60}$ 분 $=$ **5** 분 **50** 초

❸ 5일 후 오전 9시에 이 시계가 가리키는 시각은?

오전 9시 $+$ **5** 분 **50** 초 $=$ 오전 9시 **5** 분 **50** 초

답   <u>오전 9시 5분 50초</u>

왼쪽 ❷번과 같이 문제에 색칠하고 밑줄을 그어 가며 문제를 풀어 보세요.

2-1   하루에 $1\frac{1}{3}$분씩 느려지는 시계가 있습니다. / 이 시계를 오늘 오후 11시에 정확하게 맞추었다면 / 4일 후 오후 11시에 / 이 시계가 가리키는 시각은 / 오후 몇 시 몇 분 몇 초인가요?

문제 돌보기

✔ 시계가 하루에 느려지는 시간은? → $1\frac{1}{3}$ 분

✔ 오늘 시계를 정확하게 맞춘 시각은? → 오후 **11** 시

◆ 구해야 할 것은?
→ <u>예 4일 후 오후 11시에 이 시계가 가리키는 시각</u>

풀이 과정

❶ 4일 동안 느려지는 시간은?

$1\frac{1}{3} \times 4 = \frac{4}{3} \times 4 = \frac{16}{3} = 5\frac{1}{3}$ (분)

❷ 위 ❶에서 구한 시간을 몇 분 몇 초로 나타내면?

$5\frac{1}{3}$ 분 $= 5\frac{20}{60}$ 분 $=$ **5** 분 **20** 초

❸ 4일 후 오후 11시에 이 시계가 가리키는 시각은?

오후 11시 $-$ **5** 분 **20** 초 $=$ 오후 **10** 시 **54** 분 **40** 초

답   <u>오후 10시 54분 40초</u>

문제가 어려웠나요?
◯ 어려
◯ 적당
◯ 쉬워

문제를 읽고 '연습하기'에서 했던 것처럼 밑줄을 그어 가며 문제를 풀어 보세요.

1   떨어진 높이의 $\frac{3}{8}$만큼 튀어 오르는 공이 있습니다. 이 공을 $4\frac{2}{9}$ m 높이에서 떨어뜨렸을 때 공이 두 번째로 튀어 오르는 높이는 몇 m인가요?

❶ 공이 첫 번째로 튀어 오르는 높이는?

예 $4\frac{2}{9} \times \frac{3}{8} = \frac{\overset{19}{\cancel{38}}}{\underset{3}{\cancel{9}}} \times \frac{3}{\underset{4}{\cancel{8}}} = \frac{19}{12} = 1\frac{7}{12}$ (m)

❷ 공이 두 번째로 튀어 오르는 높이는?

예 $1\frac{7}{12} \times \frac{3}{8} = \frac{19}{\underset{4}{\cancel{12}}} \times \frac{3}{8} = \frac{19}{32}$ (m)

답   <u>$\frac{19}{32}$ m</u>

2   떨어진 높이의 $\frac{4}{5}$만큼 튀어 오르는 공이 있습니다. 이 공을 150 cm 높이에서 떨어뜨렸을 때 공이 세 번째로 튀어 오르는 높이는 몇 cm인가요?

❶ 공이 첫 번째로 튀어 오르는 높이는?

예 $\overset{30}{\cancel{150}} \times \frac{4}{\cancel{5}} = 120$ (cm)

❷ 공이 두 번째로 튀어 오르는 높이는?

예 $\overset{24}{\cancel{120}} \times \frac{4}{\cancel{5}} = 96$ (cm)

❸ 공이 세 번째로 튀어 오르는 높이는?

예 $96 \times \frac{4}{5} = \frac{384}{5} = 76\frac{4}{5}$ (cm)

답   <u>$76\frac{4}{5}$ cm</u>

3   하루에 $2\frac{1}{4}$분씩 빨라지는 시계가 있습니다. 이 시계를 오늘 오후 10시에 정확하게 맞추었다면 일주일 후 오후 10시에 이 시계가 가리키는 시각은 오후 몇 시 몇 분 몇 초인가요?

❶ 일주일 동안 빨라지는 시간은?

예 일주일은 7일이므로
일주일 동안 빨라지는 시간은 $2\frac{1}{4} \times 7 = \frac{9}{4} \times 7 = \frac{63}{4} = 15\frac{3}{4}$ (분)입니다.

❷ 위 ❶에서 구한 시간을 몇 분 몇 초로 나타내면?

예 $15\frac{3}{4}$ 분 $= 15\frac{45}{60}$ 분 $= 15$ 분 45초

❸ 일주일 후 오후 10시에 이 시계가 가리키는 시각은?

예 오후 10시 $+15$분 45초 $=$ 오후 10시 15분 45초

답   <u>오후 10시 15분 45초</u>

4   하루에 $1\frac{5}{12}$분씩 느려지는 시계가 있습니다. 이 시계를 오늘 오전 7시에 정확하게 맞추었다면 10일 후 오전 7시에 이 시계가 가리키는 시각은 오전 몇 시 몇 분 몇 초인가요?

❶ 10일 동안 느려지는 시간은?

예 $1\frac{5}{12} \times 10 = \frac{17}{12} \times \overset{5}{\cancel{10}} = \frac{85}{6} = 14\frac{1}{6}$ (분)

❷ 위 ❶에서 구한 시간을 몇 분 몇 초로 나타내면?

예 $14\frac{1}{6}$ 분 $= 14\frac{10}{60}$ 분 $= 14$ 분 10초

❸ 10일 후 오전 7시에 이 시계가 가리키는 시각은?

예 오전 7시 -14분 10초 $=$ 오전 6시 45분 50초

답   <u>오전 6시 45분 50초</u>

40쪽 시간을 분수로 나타내어 곱 구하기

1 한 시간에 60 km를 달리는 승용차가 있습니다. 같은 빠르기로 이 승용차가 1시간 15분 동안 달리는 거리는 몇 km인가요?

풀이 예 1시간 15분=$1\frac{15}{60}$시간=$1\frac{1}{4}$시간이므로

이 승용차가 1시간 15분 동안 달리는 거리는

$60 \times 1\frac{1}{4} = \overset{15}{60} \times \frac{5}{\underset{1}{4}} = 75$(km)입니다.

답 __75 km__

44쪽 튀어 오른 공의 높이 구하기

2 떨어진 높이의 $\frac{3}{7}$만큼 튀어 오르는 공이 있습니다. 이 공을 70 cm 높이에서 떨어뜨렸을 때 첫 번째로 튀어 오르는 높이는 몇 cm인가요?

풀이 예 (첫 번째로 튀어 오르는 높이)

=(처음 공을 떨어뜨린 높이)$\times \frac{3}{7}$

=$\overset{10}{70} \times \frac{3}{\underset{1}{7}} = 30$(cm)

답 __30 cm__

32쪽 남은 양 구하기

3 물통에 물이 3 L 들어 있습니다. 도연이가 전체 물의 $\frac{5}{12}$를 마셨다면 마시고 남은 물은 몇 L인가요?

풀이 예 전체를 1이라 하면 마시고 남은 물은 전체 물의 $1-\frac{5}{12}=\frac{7}{12}$입니다.

⇨ (도연이가 마시고 남은 물의 양)

=(처음에 물통에 들어 있던 물의 양)$\times \frac{7}{12}$

=$\overset{1}{3} \times \frac{7}{\underset{4}{12}} = \frac{7}{4} = 1\frac{3}{4}$(L)

답 __$1\frac{3}{4}$ L__

34쪽 처음의 양 구하기

4 서현이네 집에 있던 고구마의 $\frac{3}{4}$을 이웃집에 나누어 주었더니 $1\frac{3}{10}$ kg이 남았습니다. 서현이네 집에 처음에 있던 고구마는 몇 kg인가요?

풀이 예 전체를 1이라 하면 이웃집에 나누어 주고 남은 고구마는

처음에 있던 고구마의 $1-\frac{3}{4}=\frac{1}{4}$입니다.

서현이네 집에 처음에 있던 고구마를 ■ kg이라 하면

■의 $\frac{1}{4}$이 $1\frac{3}{10}$이므로 ■는 $1\frac{3}{10} \times 4 = \frac{13}{10} \times \overset{2}{4} = \frac{26}{5} = 5\frac{1}{5}$입니다.

따라서 서현이네 집에 처음에 있던 고구마는 $5\frac{1}{5}$ kg입니다.

답 __$5\frac{1}{5}$ kg__

46쪽 빨라지는(느려지는) 시계가 가리키는 시각 구하기

5 하루에 $\frac{7}{15}$분씩 빨라지는 시계가 있습니다. 이 시계를 오늘 오전 8시에 정확하게 맞추었더니 3일 후 오전 8시에 이 시계가 가리키는 시각은 오전 몇 시 몇 분 몇 초인가요?

풀이 예 (3일 동안 빨라지는 시간)=(하루에 빨라지는 시간)$\times 3$

=$\frac{7}{15} \times \overset{1}{3} = \frac{7}{5} = 1\frac{2}{5}$(분)

$1\frac{2}{5}$분=$1\frac{24}{60}$분=1분 24초이므로

3일 후 오전 8시에 이 시계가 가리키는 시각은

오전 8시+1분 24초=오전 8시 1분 24초입니다.

답 __오전 8시 1분 24초__

38쪽 이어 붙인 색 테이프의 전체 길이 구하기

6 길이가 $3\frac{5}{8}$ cm인 색 테이프 3장을 $1\frac{1}{2}$ cm씩 겹치게 한 줄로 이어 붙였습니다. 이어 붙인 색 테이프의 전체 길이는 몇 cm인가요?

풀이 예 (색 테이프 3장의 길이의 합)=$3\frac{5}{8} \times 3 = \frac{29}{8} \times 3 = \frac{87}{8} = 10\frac{7}{8}$(cm)

색 테이프 3장을 이어 붙이면 겹쳐진 부분은 3-1=2(군데)이므로

색 테이프가 겹쳐진 부분의 길이의 합은 $1\frac{1}{2} \times 2 = \frac{3}{\underset{1}{2}} \times \overset{1}{2} = 3$(cm)입니다.

따라서 이어 붙인 색 테이프의 전체 길이는

$10\frac{7}{8} - 3 = 7\frac{7}{8}$(cm)입니다.

답 __$7\frac{7}{8}$ cm__

46쪽 빨라지는(느려지는) 시계가 가리키는 시각 구하기

7 하루에 $1\frac{1}{4}$분씩 느려지는 시계가 있습니다. 이 시계를 오늘 오후 5시에 정확하게 맞추었다면 30일 후 오후 5시에 이 시계가 가리키는 시각은 오후 몇 시 몇 분 몇 초인가요?

풀이 예 (30일 동안 느려지는 시간)=$1\frac{1}{4} \times 30 = \frac{5}{\underset{2}{4}} \times \overset{15}{30} = \frac{75}{2} = 37\frac{1}{2}$(분)

$37\frac{1}{2}$분=$37\frac{30}{60}$분=37분 30초이므로 30일 후 오후 5시에

이 시계가 가리키는 시각은 오후 5시-37분 30초=오후 4시 22분 30초입니다.

답 __오후 4시 22분 30초__

40쪽 시간을 분수로 나타내어 곱 구하기

8 1분 동안 각각 $1\frac{9}{10}$ L, $2\frac{3}{5}$ L의 물이 일정하게 나오는 두 수도꼭지가 있습니다. 두 수도꼭지를 동시에 틀어서 6분 40초 동안 받을 수 있는 물은 모두 몇 L인가요?

풀이 예 (두 수도꼭지를 동시에 틀어서 1분 동안 받을 수 있는 물의 양)

=$1\frac{9}{10} + 2\frac{3}{5} = 1\frac{9}{10} + 2\frac{6}{10} = 3\frac{15}{10} = 4\frac{5}{10} = 4\frac{1}{2}$(L)

6분 40초=$6\frac{40}{60}$분=$6\frac{2}{3}$분이므로 두 수도꼭지를 동시에 틀어서 6분 40초 동안 받을 수

있는 물은 모두 $4\frac{1}{2} \times 6\frac{2}{3} = \frac{9}{\underset{1}{2}} \times \frac{20}{\underset{1}{3}} = 30$(L)입니다.

답 __30 L__

44쪽 튀어 오른 공의 높이 구하기

9 떨어진 높이의 $\frac{2}{5}$만큼 튀어 오르는 공이 있습니다. 이 공을 8 m 높이에서 바닥에 수직으로 떨어뜨렸을 때 공이 두 번째로 바닥에 닿을 때까지 움직인 거리는 몇 m인가요?

풀이 예 (공이 첫 번째로 튀어 오르는 높이)=$8 \times \frac{2}{5} = \frac{16}{5} = 3\frac{1}{5}$(m)

공이 두 번째로 바닥에 닿을 때까지 움직인 거리는

(처음 공을 떨어뜨린 높이)+(공이 첫 번째로 튀어 오르는 높이)$\times 2$

=$8+3\frac{1}{5} \times 2 = 8 + \frac{16}{5} \times 2 = 8 + \frac{32}{5} = 8 + 6\frac{2}{5} = 14\frac{2}{5}$(m)입니다.

답 __$14\frac{2}{5}$ m__

32쪽 남은 양 구하기

10 도전 문제
예지는 어제 소설책 한 권의 $\frac{4}{9}$을 읽었습니다. 오늘은 어제 읽고 난 나머지의 $\frac{3}{8}$을 읽었습니다. 소설책 한 권이 144쪽일 때 예지가 오늘 읽은 소설책은 몇 쪽인가요?

❶ 예지가 어제 읽고 남은 소설책은 책 전체의 얼마?

예 전체를 1이라 하면 어제 읽고 남은 소설책은 책 전체의 $1-\frac{4}{9}=\frac{5}{9}$입니다.

❷ 오늘 읽은 소설책은 책 전체의 얼마?

예 오늘 읽은 소설책은 책 전체의 $\frac{5}{\underset{3}{9}} \times \frac{1}{\underset{8}{8}} = \frac{5}{24}$입니다.

❸ 예지가 오늘 읽은 소설책은 몇 쪽?

예 예지가 오늘 읽은 소설책은 $\overset{6}{144} \times \frac{5}{\underset{1}{24}} = 30$(쪽)입니다.

답 __30쪽__

3. 합동과 대칭

문장제 준비하기

함께 풀어 봐요!
보석을 찾으며 빈칸에 알맞은 수나 기호를 써 보세요.

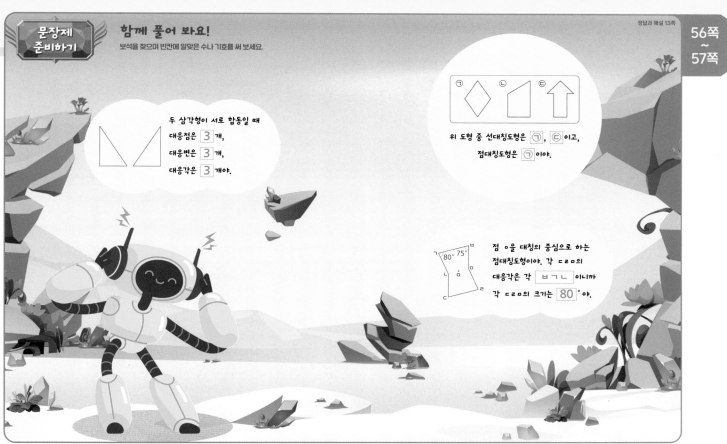

두 삼각형이 서로 합동일 때
대응점은 **3** 개,
대응변은 **3** 개,
대응각은 **3** 개야.

위 도형 중 선대칭도형은 **㉠**, **㉢** 이고,
점대칭도형은 **㉠** 이야.

점 ㅇ을 대칭의 중심으로 하는
점대칭도형이야. 각 ㄷㄹㅁ의
대응각은 각 **ㅂㄱㄴ** 이니까
각 ㄷㄹㅁ의 크기는 **80** °야.

08일 **문장제 연습하기** +대칭인 숫자를 찾아 수 만들기

*공부한 날   월   일

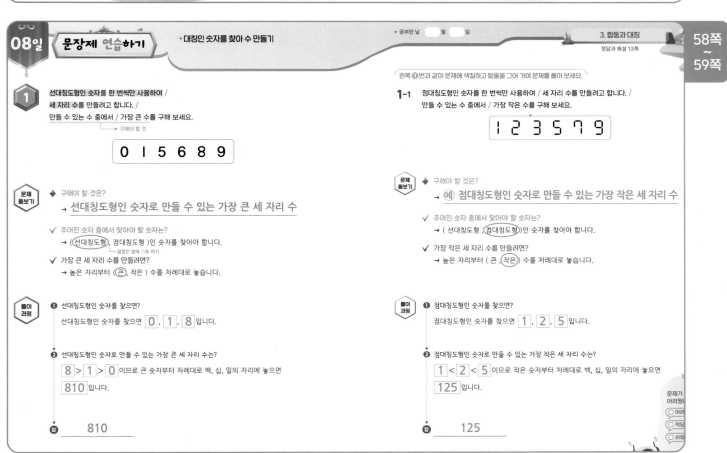

왼쪽 ❶번과 같이 문제에 색칠하고 밑줄을 그어 가며 문제를 풀어 보세요.

1 선대칭도형인 숫자를 한 번씩만 사용하여 /
세 자리 수를 만들려고 합니다. /
만들 수 있는 수 중에서 / 가장 큰 수를 구해 보세요.
└ 구해야 할 것

```
0 1 5 6 8 9
```

문제 돋보기
◆ 구해야 할 것은?
→ 선대칭도형인 숫자로 만들 수 있는 가장 큰 세 자리 수

✓ 주어진 숫자 중에서 찾아야 할 숫자는?
→ (선대칭형), 점대칭형)인 숫자를 찾아야 합니다.
└ 알맞은 말에 ○표 하기

✓ 가장 큰 세 자리 수를 만들려면?
→ 높은 자리부터 (큰), 작은) 수를 차례대로 놓습니다.

풀이 과정
❶ 선대칭도형인 숫자를 찾으면?
선대칭도형인 숫자를 찾으면 **0** , **1** , **8** 입니다.

❷ 선대칭도형인 숫자로 만들 수 있는 가장 큰 세 자리 수는?
8 > **1** > **0** 이므로 큰 숫자부터 차례대로 백, 십, 일의 자리에 놓으면
810 입니다.

답 _____810_____

1-1 점대칭도형인 숫자를 한 번씩만 사용하여 / 세 자리 수를 만들려고 합니다. /
만들 수 있는 수 중에서 / 가장 작은 수를 구해 보세요.

```
1 2 3 5 7 9
```

문제 돋보기
◆ 구해야 할 것은?
→ 예) 점대칭도형인 숫자로 만들 수 있는 가장 작은 세 자리 수

✓ 주어진 숫자 중에서 찾아야 할 숫자는?
→ (선대칭형 , 점대칭형)인 숫자를 찾아야 합니다.

✓ 가장 작은 세 자리 수를 만들려면?
→ 높은 자리부터 (큰 , 작은)수를 차례대로 놓습니다.

풀이 과정
❶ 점대칭도형인 숫자를 찾으면?
점대칭도형인 숫자를 찾으면 **1** , **2** , **5** 입니다.

❷ 점대칭도형인 숫자로 만들 수 있는 가장 작은 세 자리 수는?
1 < **2** < **5** 이므로 작은 숫자부터 차례대로 백, 십, 일의 자리에 놓으면
125 입니다.

답 _____125_____

문제가 어려웠니?
☐ 어려
☐ 적당
☐ 쉬워

문장제 연습하기 · 접은 종이에서 각의 크기 구하기

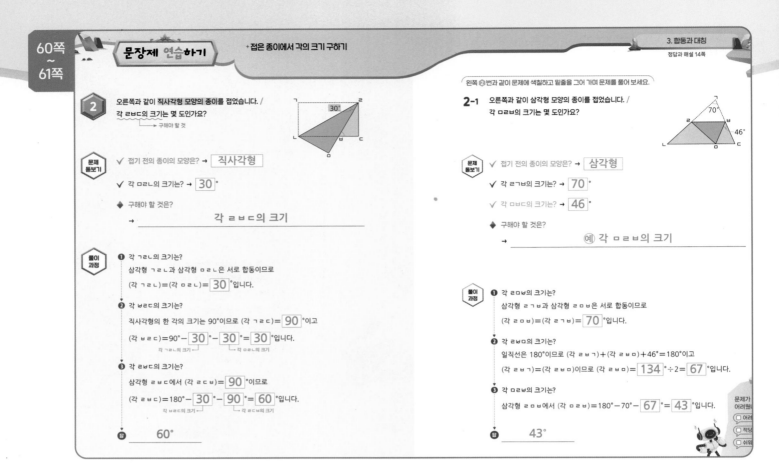

2 오른쪽과 같이 직사각형 모양의 종이를 접었습니다. / 각 ㄹㅂㄷ의 크기는 몇 도인가요?
　　└─ 구해야 할 것

문제 돋보기

✓ 접기 전의 종이의 모양은? → **직사각형**

✓ 각 ㅁㄹㄴ의 크기는? → **30** °

◆ 구해야 할 것?
　→ 　각 ㄹㅂㄷ의 크기

풀이 과정

❶ 각 ㄱㄹㄴ의 크기는?
삼각형 ㄱㄹㄴ과 삼각형 ㅁㄹㄴ은 서로 합동이므로
(각 ㄱㄹㄴ)=(각 ㅁㄹㄴ)= **30** °입니다.

❷ 각 ㅂㄹㄷ의 크기는?
직사각형의 한 각의 크기는 90°이므로 (각 ㄱㄹㄷ)= **90** °이고
(각 ㅂㄹㄷ)=90°- **30** °- **30** °= **30** °입니다.
　　　　　└각 ㄱㄹㄴ의 크기　└각 ㅁㄹㄴ의 크기

❸ 각 ㄹㅂㄷ의 크기는?
삼각형 ㄹㅂㄷ에서 (각 ㄹㄷㅂ)= **90** °이므로
(각 ㄹㅂㄷ)=180°- **30** °- **90** °= **60** °입니다.
　　　　　└각 ㅂㄹㄷ의 크기　└각 ㄹㄷㅂ의 크기

답 _____60°_____

왼쪽 ❷번과 같이 문제에 색칠하고 밑줄을 그어 가며 문제를 풀어 보세요.

2-1 오른쪽과 같이 삼각형 모양의 종이를 접었습니다. / 각 ㅁㄹㅂ의 크기는 몇 도인가요?

문제 돋보기

✓ 접기 전의 종이의 모양은? → **삼각형**

✓ 각 ㄹㄱㅂ의 크기는? → **70** °

✓ 각 ㅁㅂㄷ의 크기는? → **46** °

◆ 구해야 할 것?
　→ 　예 각 ㅁㄹㅂ의 크기

풀이 과정

❶ 각 ㄹㅁㅂ의 크기는?
삼각형 ㄹㄱㅂ과 삼각형 ㄹㅁㅂ은 서로 합동이므로
(각 ㄹㅁㅂ)=(각 ㄹㄱㅂ)= **70** °입니다.

❷ 각 ㄹㅂㅁ의 크기는?
일직선은 180°이므로 (각 ㄹㅂㄱ)+(각 ㄹㅂㅁ)+46°=180°이고
(각 ㄹㅂㄱ)=(각 ㄹㅂㅁ)이므로 (각 ㄹㅂㅁ)= **134** °÷2= **67** °입니다.

❸ 각 ㅁㄹㅂ의 크기는?
삼각형 ㄹㅁㅂ에서 (각 ㅁㄹㅂ)=180°-70°- **67** °= **43** °입니다.

답 _____43°_____

문제가 어려웠나
☐ 어려
☐ 적당
☐ 쉬웠

문장제 실력 쌓기 · 대칭인 숫자를 찾아 수 만들기 · 접은 종이에서 각의 크기 구하기

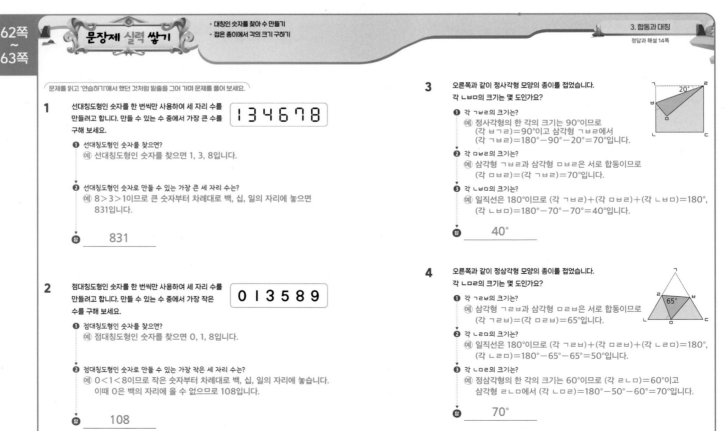

문제를 읽고 '연습하기'에서 했던 것처럼 밑줄을 그어 가며 문제를 풀어 보세요.

1 선대칭도형인 숫자를 한 번씩만 사용하여 세 자리 수를 만들려고 합니다. 만들 수 있는 수 중에서 가장 큰 수를 구해 보세요.

`1 3 4 6 7 8`

❶ 선대칭도형인 숫자를 찾으면?
예 선대칭도형인 숫자를 찾으면 1, 3, 8입니다.

❷ 선대칭도형인 숫자로 만들 수 있는 가장 큰 세 자리 수는?
예 8>3>1이므로 큰 숫자부터 차례대로 백, 십, 일의 자리에 놓으면 831입니다.

답 _____831_____

2 점대칭도형인 숫자를 한 번씩만 사용하여 세 자리 수를 만들려고 합니다. 만들 수 있는 수 중에서 가장 작은 수를 구해 보세요.

`0 1 3 5 8 9`

❶ 점대칭도형인 숫자를 찾으면?
예 점대칭도형인 숫자를 찾으면 0, 1, 8입니다.

❷ 점대칭도형인 숫자로 만들 수 있는 가장 작은 세 자리 수는?
예 0<1<8이므로 작은 숫자부터 차례대로 백, 십, 일의 자리에 놓습니다. 이때 0은 백의 자리에 올 수 없으므로 108입니다.

답 _____108_____

3 오른쪽과 같이 정사각형 모양의 종이를 접었습니다. 각 ㄴㅂㅁ의 크기는 몇 도인가요?

❶ 각 ㄱㅂㄹ의 크기는?
예 정사각형의 한 각의 크기는 90°이므로 (각 ㅂㄱㄹ)=90°이고 삼각형 ㄱㅂㄹ에서 (각 ㄱㅂㄹ)=180°-90°-20°=70°입니다.

❷ 각 ㅁㅂㄹ의 크기는?
예 삼각형 ㄱㅂㄹ과 삼각형 ㅁㅂㄹ은 서로 합동이므로 (각 ㅁㅂㄹ)=(각 ㄱㅂㄹ)=70°입니다.

❸ 각 ㄴㅂㅁ의 크기는?
예 일직선은 180°이므로 (각 ㄱㅂㄹ)+(각 ㅁㅂㄹ)+(각 ㄴㅂㅁ)=180°, (각 ㄴㅂㅁ)=180°-70°-70°=40°입니다.

답 _____40°_____

4 오른쪽과 같이 정삼각형 모양의 종이를 접었습니다. 각 ㄴㅁㄹ의 크기는 몇 도인가요?

❶ 각 ㄱㄹㅂ의 크기는?
예 삼각형 ㄱㄹㅂ과 삼각형 ㅁㄹㅂ은 서로 합동이므로 (각 ㄱㄹㅂ)=(각 ㅁㄹㅂ)=65°입니다.

❷ 각 ㄴㄹㅁ의 크기는?
예 일직선은 180°이므로 (각 ㄱㄹㅂ)+(각 ㅁㄹㅂ)+(각 ㄴㄹㅁ)=180°, (각 ㄴㄹㅁ)=180°-65°-65°=50°입니다.

❸ 각 ㄴㅁㄹ의 크기는?
예 정삼각형의 한 각의 크기는 60°이므로 (각 ㄹㄴㅁ)=60°이고 삼각형 ㄹㄴㅁ에서 (각 ㄴㅁㄹ)=180°-50°-60°=70°입니다.

답 _____70°_____

1 오른쪽 삼각형 ㄱㄴㄷ은 선분 ㄱㄹ을 대칭축으로 하는 선대칭도형입니다. / 삼각형 ㄱㄴㄷ의 넓이는 몇 cm²인가요?
→ 구해야 할 것

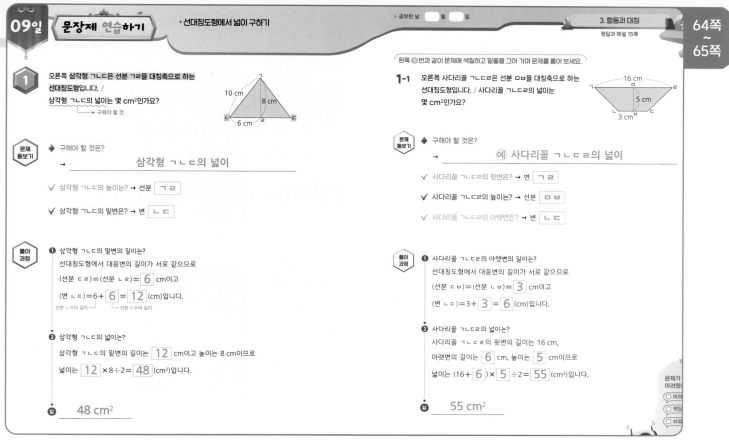

문제 돌보기
◆ 구해야 할 것은?
→ <u>삼각형 ㄱㄴㄷ의 넓이</u>

✓ 삼각형 ㄱㄴㄷ의 높이는? → 선분 ㄱㄹ

✓ 삼각형 ㄱㄴㄷ의 밑변은? → 변 ㄴㄷ

풀이 과정
❶ 삼각형 ㄱㄴㄷ의 밑변의 길이는?
선대칭도형에서 대응변의 길이가 서로 같으므로
(선분 ㄷㄹ)=(선분 ㄴㄹ)= 6 cm이고
(변 ㄴㄷ)=6+ 6 = 12 (cm)입니다.
선분 ㄴㄹ의 길이 ← → 선분 ㄷㄹ의 길이

❷ 삼각형 ㄱㄴㄷ의 넓이는?
삼각형 ㄱㄴㄷ의 밑변의 길이는 12 cm이고 높이는 8 cm이므로
넓이는 12 ×8÷2= 48 (cm²)입니다.

답 48 cm²

왼쪽 ❶번과 같이 문제에 색칠하고 밑줄을 그어 가며 문제를 풀어 보세요.

1-1 오른쪽 사다리꼴 ㄱㄴㄷㄹ은 선분 ㅁㅂ을 대칭축으로 하는 선대칭도형입니다. / 사다리꼴 ㄱㄴㄷㄹ의 넓이는 몇 cm²인가요?

문제 돌보기
◆ 구해야 할 것은?
→ <u>예 사다리꼴 ㄱㄴㄷㄹ의 넓이</u>

✓ 사다리꼴 ㄱㄴㄷㄹ의 윗변은? → 변 ㄱㄹ

✓ 사다리꼴 ㄱㄴㄷㄹ의 높이는? → 선분 ㅁㅂ

✓ 사다리꼴 ㄱㄴㄷㄹ의 아랫변은? → 변 ㄴㄷ

풀이 과정
❶ 사다리꼴 ㄱㄴㄷㄹ의 아랫변의 길이는?
선대칭도형에서 대응변의 길이가 서로 같으므로
(선분 ㄷㅂ)=(선분 ㄴㅂ)= 3 cm이고
(변 ㄴㄷ)=3+ 3 = 6 (cm)입니다.

❷ 사다리꼴 ㄱㄴㄷㄹ의 넓이는?
사다리꼴 ㄱㄴㄷㄹ의 윗변의 길이는 16 cm,
아랫변의 길이는 6 cm, 높이는 5 cm이므로
넓이는 (16+ 6)× 5 ÷2= 55 (cm²)입니다.

답 55 cm²

문제가 어려웠니?
○ 어려
○ 적당
○ 쉬워

---

2 오른쪽 도형은 점 ㅇ을 대칭의 중심으로 하는 점대칭도형입니다. / 이 도형의 둘레가 42 cm일 때 / 변 ㄴㄷ은 몇 cm인가요?
→ 구해야 할 것

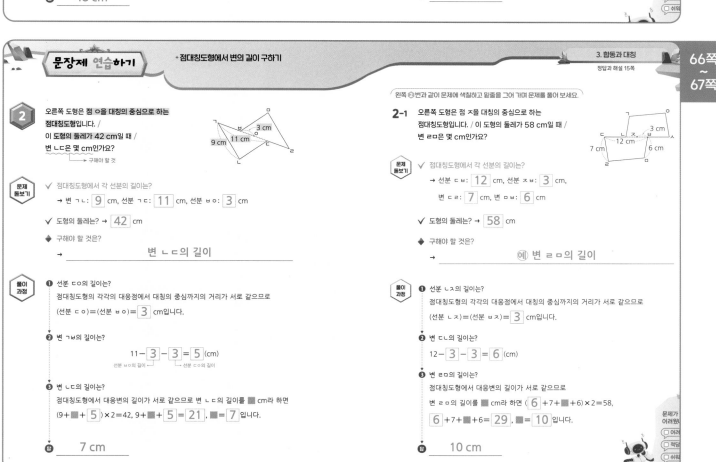

문제 돌보기
✓ 점대칭도형에서 각 선분의 길이는?
→ 변 ㄱㄴ: 9 cm, 선분 ㄱㄷ: 11 cm, 선분 ㅂㅇ: 3 cm

✓ 도형의 둘레는? → 42 cm

◆ 구해야 할 것은?
→ <u>변 ㄴㄷ의 길이</u>

풀이 과정
❶ 선분 ㄷㅇ의 길이는?
점대칭도형의 각각의 대응점에서 대칭의 중심까지의 거리가 서로 같으므로
(선분 ㄷㅇ)=(선분 ㅂㅇ)= 3 cm입니다.

❷ 변 ㄱㅂ의 길이는?
11− 3 − 3 = 5 (cm)
선분 ㅂㅇ의 길이 ← → 선분 ㄷㅇ의 길이

❸ 변 ㄴㄷ의 길이는?
점대칭도형에서 대응변의 길이가 서로 같으므로 변 ㄴㄷ의 길이를 ■ cm라 하면
(9+■+ 5)×2=42, 9+■+ 5 = 21 , ■= 7 입니다.

답 7 cm

왼쪽 ❷번과 같이 문제에 색칠하고 밑줄을 그어 가며 문제를 풀어 보세요.

2-1 오른쪽 도형은 점 ㅈ을 대칭의 중심으로 하는 점대칭도형입니다. / 이 도형의 둘레가 58 cm일 때 / 변 ㄹㅁ은 몇 cm인가요?

문제 돌보기
✓ 점대칭도형에서 각 선분의 길이는?
→ 선분 ㄷㅂ: 12 cm, 선분 ㅈㅂ: 3 cm,
변 ㄱㄹ: 7 cm, 변 ㅁㅂ: 6 cm

✓ 도형의 둘레는? → 58 cm

◆ 구해야 할 것은?
→ <u>예 변 ㄹㅁ의 길이</u>

풀이 과정
❶ 선분 ㄴㅈ의 길이는?
점대칭도형의 각각의 대응점에서 대칭의 중심까지의 거리가 서로 같으므로
(선분 ㄴㅈ)=(선분 ㅂㅈ)= 3 cm입니다.

❷ 변 ㄷㄴ의 길이는?
12− 3 − 3 = 6 (cm)

❸ 변 ㄹㅁ의 길이는?
점대칭도형에서 대응변의 길이가 서로 같으므로
변 ㄹㅁ의 길이를 ■ cm라 하면 (6 +7+■+6)×2=58,
6 +7+■+6= 29 , ■= 10 입니다.

답 10 cm

문제가 어려웠니?
○ 어려
○ 적당
○ 쉬워

68쪽 ~ 69쪽

문장제 실력 쌓기
• 선대칭도형에서 넓이 구하기
• 점대칭도형에서 변의 길이 구하기

3. 합동과 대칭
정답과 해설 16쪽

문제를 읽고 '연습하기'에서 했던 것처럼 밑줄을 그어 가며 문제를 풀어 보세요.

1 오른쪽 도형은 직선 ㅅㅇ을 대칭축으로 하는 선대칭도형입니다. 이 선대칭도형의 넓이는 몇 cm²인가요?

❶ 변 ㄴㄷ의 길이는?

예) 선대칭도형에서 대응변의 길이가 서로 같으므로 (변 ㄴㄷ)=(변 ㄹㄷ)=10 cm입니다.

❷ 사다리꼴 ㄱㄴㄷㅂ의 넓이는?

예) 사다리꼴 ㄱㄴㄷㅂ의 윗변의 길이는 6 cm, 아랫변의 길이는 2 cm, 높이는 10 cm이므로 넓이는 (6+2)×10÷2=40(cm²)입니다.

❸ 선대칭도형의 넓이는?

예) 사다리꼴 ㄱㄴㄷㅂ과 사다리꼴 ㅁㄹㄷㅂ은 서로 합동이므로 (선대칭도형의 넓이)=(사다리꼴 ㄱㄴㄷㅂ의 넓이)×2 =40×2=80(cm²)입니다.

답 _80 cm²_

2 오른쪽 도형은 직선 ㅁㅂ을 대칭축으로 하는 선대칭도형입니다. 이 선대칭도형의 넓이는 몇 cm²인가요?

❶ 선분 ㄴㅅ의 길이는?

예) 선대칭도형에서 대칭축은 대응점을 이은 선분을 둘로 똑같이 나눕니다. (선분 ㄴㅅ)=(선분 ㄴㄹ)÷2=20÷2=10(cm)

❷ 삼각형 ㄱㄴㄷ의 넓이는?

예) 삼각형 ㄱㄴㄷ의 밑변을 변 ㄱㄷ이라 하면 높이는 선분 ㄴㅅ입니다. 삼각형 ㄱㄴㄷ의 밑변의 길이는 15 cm이고 높이는 10 cm이므로 넓이는 15×10÷2=75(cm²)입니다.

❸ 선대칭도형의 넓이는?

예) 삼각형 ㄱㄴㄷ과 삼각형 ㄱㄹㄷ은 서로 합동이므로 (선대칭도형의 넓이)=(삼각형 ㄱㄴㄷ의 넓이)×2 =75×2=150(cm²)입니다.

답 _150 cm²_

3 오른쪽 도형은 점 ㅅ을 대칭의 중심으로 하는 점대칭도형입니다. 이 도형의 둘레가 88 cm일 때 변 ㄴㄷ은 몇 cm인가요?

❶ 선분 ㅂㅅ의 길이는?

예) 점대칭도형의 각각의 대응점에서 대칭의 중심까지의 거리가 서로 같으므로 (선분 ㅂㅅ)=(선분 ㄷㅅ)=8 cm입니다.

❷ 변 ㄱㅂ의 길이는?

예) 17−8=9(cm)

❸ 변 ㄴㄷ의 길이는?

예) 점대칭도형에서 대응변의 길이가 서로 같으므로 변 ㄴㄷ의 길이를 ■ cm라 하면 (15+■+9)×2=88, 15+■+9=44, ■=20입니다.

답 _20 cm_

4 오른쪽 도형은 점 ㅈ을 대칭의 중심으로 하는 점대칭도형입니다. 이 도형의 둘레가 52 cm일 때 변 ㅅㅂ은 몇 cm인가요?

❶ 선분 ㅅㅈ의 길이는?

예) 점대칭도형의 각각의 대응점에서 대칭의 중심까지의 거리가 서로 같으므로 (선분 ㅅㅈ)=(선분 ㄷㅈ)=3 cm입니다.

❷ 변 ㄷㄹ의 길이는?

예) (선분 ㅅㅂ)=(변 ㅂㅁ)=10 cm이므로 (변 ㄷㄹ)=10−3−3=4(cm)입니다.

❸ 변 ㅅㅂ의 길이는?

예) 점대칭도형에서 대응변의 길이가 서로 같으므로 변 ㅅㅂ의 길이를 ■ cm라 하면 (4+■+10+■)×2=52, 4+■+10+■=26, ■+■=12, ■=6입니다.

답 _6 cm_

---

1 58쪽 대칭인 숫자를 찾아 수 만들기

점대칭도형인 숫자를 한 번씩만 사용하여 세 자리 수를 만들려고 합니다. 만들 수 있는 수 중에서 가장 큰 수를 구해 보세요.

1 5 7 8 9

풀이 예) 점대칭도형인 숫자를 찾으면 1, 5, 8입니다. 8>5>1이므로 큰 숫자부터 차례대로 백, 십, 일의 자리에 놓으면 만들 수 있는 가장 큰 세 자리 수는 851입니다.

답 _851_

2 64쪽 선대칭도형에서 넓이 구하기

오른쪽 정사각형 ㄱㄴㄷㄹ은 선분 ㅁㅂ을 대칭축으로 하는 선대칭도형입니다. 정사각형 ㄱㄴㄷㄹ의 넓이는 몇 cm²인가요?

풀이 예) 선대칭도형에서 대응변의 길이가 서로 같으므로 (선분 ㄷㅂ)=(선분 ㄴㅂ)=5 cm이고 (변 ㄴㄷ)=(선분 ㄴㅂ)+(선분 ㄷㅂ)=5+5=10(cm)입니다. 정사각형 ㄱㄴㄷㄹ의 한 변의 길이는 10 cm이므로 넓이는 10×10=100(cm²)입니다.

답 _100 cm²_

3 58쪽 대칭인 숫자를 찾아 수 만들기

선대칭도형인 숫자를 한 번씩만 사용하여 네 자리 수를 만들려고 합니다. 만들 수 있는 수 중에서 가장 작은 수를 구해 보세요.

0 1 2 3 4 8

풀이 예) 선대칭도형인 숫자를 찾으면 0, 1, 3, 8입니다. 0<1<3<8이므로 작은 숫자부터 차례대로 천, 백, 십, 일의 자리에 놓습니다. 이때 0은 천의 자리에 올 수 없으므로 만들 수 있는 가장 작은 네 자리 수는 1038입니다.

답 _1038_

4 60쪽 접은 종이에서 각의 크기 구하기

다음과 같이 삼각형 모양의 종이를 접었습니다. 각 ㄴㄷㄹ의 크기는 몇 도인가요?

풀이 예) 일직선은 180°이므로 (각 ㄴㄷㄹ)+(각 ㅂㄷㄹ)+34°=180°입니다. 삼각형 ㄹㄴㄷ과 삼각형 ㄹㅂㄷ은 서로 합동이므로 (각 ㄴㄷㄹ)=(각 ㅂㄷㄹ)=(180°−34°)÷2=73°입니다.

답 _73°_

5 64쪽 선대칭도형에서 넓이 구하기

사각형 ㄱㄴㄷㄹ은 선분 ㄴㄹ을 대칭축으로 하는 선대칭도형입니다. 사각형 ㄱㄴㄷㄹ의 넓이는 몇 cm²인가요?

풀이 예) 선대칭도형에서 대응변의 길이가 서로 같으므로 (변 ㄱㄴ)=(변 ㄷㄴ)=9 cm입니다. 삼각형 ㄱㄴㄹ의 밑변의 길이는 9 cm이고 높이는 12 cm이므로 넓이는 9×12÷2=54(cm²)입니다. 사각형 ㄱㄴㄷㄹ의 넓이는 삼각형 ㄱㄴㄹ의 넓이의 2배이므로 54×2=108(cm²)입니다.

답 _108 cm²_

6 66쪽 점대칭도형에서 변의 길이 구하기

오른쪽은 점 ㅈ을 대칭의 중심으로 하는 점대칭도형
입니다. 이 도형의 둘레가 78 cm일 때 변 ㄹㄷ은
몇 cm인가요?

풀이 예 점대칭도형에서 대응변의 길이가 서로 같으므로
(변 ㄴㄷ)＝(변 ㅂㅅ)＝11 cm입니다.
(변 ㄱㅇ)＝(변 ㄴㄷ)＝11 cm이므로 변 ㄹㄷ의 길이를 ■ cm라 하면
(11＋11＋■＋11)×2＝78, 11＋11＋■＋11＝39, ■＝6입니다.

답 ____6 cm____

7 60쪽 접은 종이에서 각의 크기 구하기

오른쪽과 같이 정사각형 모양의 종이를 접었습니다.
각 ㅁㅂㄷ의 크기는 몇 도인가요?

풀이 예 정사각형의 한 각의 크기는 90°이므로
(각 ㄹㄱㄴ)＝90°이고
삼각형 ㄱㄹㅂ과 삼각형 ㄱㅁㅂ은 서로 합동이므로
(각 ㄹㄱㅂ)＝(각 ㅁㄱㅂ)＝(90°－52°)÷2＝19°입니다.
삼각형 ㄱㅁㅂ에서 (각 ㄱㅁㅂ)＝180°－19°－90°＝71°이므로
(각 ㄱㅂㄹ)＝(각 ㄱㅂㅁ)＝71°입니다.
일직선은 180°이므로 (각 ㅁㅂㄷ)＝180°－71°－71°＝38°입니다.

답 ____38°____

8 60쪽 접은 종이에서 각의 크기 구하기

오른쪽과 같이 직사각형 모양의 종이를 접었습니다.
각 ㅈㄱㅅ의 크기는 몇 도인가요?

풀이 예 사각형 ㄴㄷㄹㄱ에서
(각 ㄴㄱㄹ)＝360°－90°－90°－46°＝134°이고
일직선은 180°이므로 (각 ㅅㄱㄹ)＝180°－134°＝46°입니다.
사각형 ㄴㄷㄹㄱ과 사각형 ㅈㅇㄹㄱ은 서로 합동이므로
(각 ㅈㄱㄹ)＝(각 ㄴㄱㄹ)＝134°이고
(각 ㅈㄱㅅ)＝(각 ㅈㄱㄹ)－(각 ㅅㄱㄹ)＝134°－46°＝88°입니다.

답 ____88°____

9 64쪽 선대칭도형에서 넓이 구하기

오른쪽 삼각형 ㄱㄴㄷ은 선분 ㄹㄴ을 대칭축으로 하는
선대칭도형입니다. 삼각형 ㄱㄴㄷ의 넓이는
몇 cm²인가요?

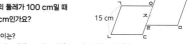

풀이 예 선대칭도형에서 대응각의 크기가 서로 같으므로
(각 ㄷㄴㄹ)＝(각 ㄱㄴㄹ)＝45°입니다.
삼각형 ㄹㄴㄷ에서 (각 ㄴㄷㄹ)＝180°－90°－45°＝45°이므로
삼각형 ㄹㄴㄷ은 이등변삼각형입니다.
삼각형 ㄹㄴㄷ에서 (선분 ㄴㄹ)＝(선분 ㄷㄹ)＝12 cm입니다.
선대칭도형에서 대응변의 길이가 서로 같으므로
(선분 ㄱㄹ)＝(선분 ㄷㄹ)＝12 cm이고 (변 ㄱㄷ)＝12＋12＝24(cm)입니다.
따라서 삼각형 ㄱㄴㄷ의 밑변의 길이는 24 cm이고 높이는 12 cm이므로
넓이는 24×12÷2＝144(cm²)입니다.

답 ____144 cm²____

10 도전 문제 66쪽 점대칭도형에서 변의 길이 구하기

오른쪽은 마름모 2개로 이루어진 점대칭도형
입니다. 이 도형의 둘레가 100 cm일 때
선분 ㅈㄹ은 몇 cm인가요?

❶ 변 ㄹㄷ의 길이는?
예 (변 ㄱㅇ)＝(변 ㄴㄷ)＝15 cm이고
점대칭도형에서 대응변의 길이가 서로 같으므로
변 ㄹㄷ의 길이를 ■ cm라 하면 (15＋15＋■＋15)×2＝100,
15＋15＋■＋15＝50, ■＝5입니다.

❷ 선분 ㅇㄹ의 길이는?
예 (선분 ㅇㄹ)＝(선분 ㅇㄷ)－(선분 ㄹㄷ)＝15－5＝10(cm)

❸ 선분 ㅈㄹ의 길이는?
예 점대칭도형의 각각의 대응점에서 대칭의 중심까지의 거리가 서로
같으므로 (선분 ㅈㄹ)＝(선분 ㅇㄹ)÷2＝10÷2＝5(cm)입니다.

답 ____5 cm____

4. 소수의 곱셈

문장제 준비하기

함께 풀어 보요!
보석을 찾으며 빈칸에 알맞은 수나 기호를 써 보세요.

무게가 0.65 kg인
농구공 4개의 무게는
0.65 ⊗ 4 = 2.6 (kg)이야.

밑변의 길이가 5.8 cm이고,
높이가 4.7 cm인
평행사변형의 넓이는
5.8 × 4.7 = 27.26 (cm²)야.

1분에 6 L씩 물이 나오는 수도꼭지를 틀어
3.2분 동안 물을 받으면
물은 모두
6 ⊗ 3.2 = 19.2 (L)가 돼.

11일 문장제 연습하기   + 소수로 나타내어 곱 구하기

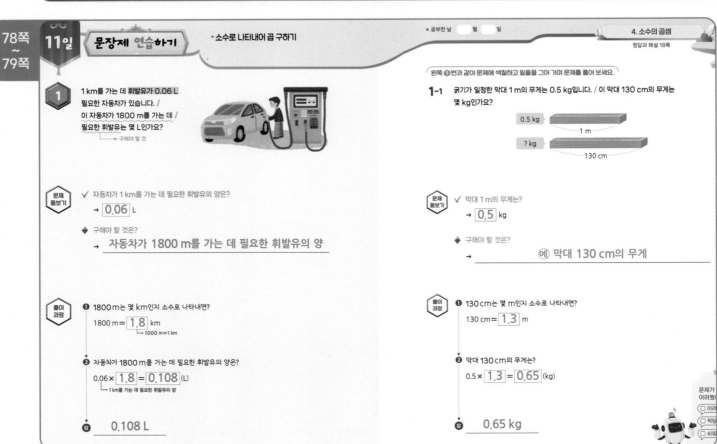

1
1 km를 가는 데 휘발유가 0.06 L
필요한 자동차가 있습니다. /
이 자동차가 1800 m를 가는 데 /
필요한 휘발유는 몇 L인가요?
└→ 구해야 할 것

문제 돋보기
✓ 자동차가 1 km를 가는 데 필요한 휘발유의 양은?
→ 0.06 L

◆ 구해야 할 것은?
→ 자동차가 1800 m를 가는 데 필요한 휘발유의 양

풀이 과정
❶ 1800 m는 몇 km인지 소수로 나타내면?
1800 m = 1.8 km
└→ 1000 m=1 km

❷ 자동차가 1800 m를 가는 데 필요한 휘발유의 양은?
0.06 × 1.8 = 0.108 (L)
└→ 1 km를 가는 데 필요한 휘발유의 양

답   0.108 L

왼쪽 ❶번과 같이 문제에 색칠하고 밑줄을 그어 가며 문제를 풀어 보세요.

1-1 굵기가 일정한 막대 1 m의 무게는 0.5 kg입니다. / 이 막대 130 cm의 무게는
몇 kg인가요?

0.5 kg [1 m]
? kg [130 cm]

문제 돋보기
✓ 막대 1 m의 무게는?
→ 0.5 kg

◆ 구해야 할 것은?
→ 예 막대 130 cm의 무게

풀이 과정
❶ 130 cm는 몇 m인지 소수로 나타내면?
130 cm = 1.3 m

❷ 막대 130 cm의 무게는?
0.5 × 1.3 = 0.65 (kg)

답   0.65 kg

문제가
어려웠니?
○ 어려
○ 적당
○ 쉬워

문장제 연습하기 +남은 양 구하기

2 설탕이 10 kg 있습니다. /
이 설탕을 한 봉지에 1.8 kg씩 /
4봉지에 담았습니다. /
봉지에 담고 남은 설탕은 몇 kg인가요?
└─ 구해야 할 것

문제 돋보기

✓ 전체 설탕의 무게는? → [10] kg

✓ 한 봉지에 담은 설탕의 무게는? → [1.8] kg

✓ 설탕을 담은 봉지의 수는? → [4] 봉지

◆ 구해야 할 것은?
→ ___봉지에 담고 남은 설탕의 무게___

풀이 과정

❶ 4봉지에 담은 설탕의 무게는?
[1.8] ×4= [7.2] (kg)
└─ 한 봉지에 담은 설탕의 무게

❷ 봉지에 담고 남은 설탕의 무게는?
10− [7.2] = [2.8] (kg)
└─ 4봉지에 담은 설탕의 무게

답 ___2.8 kg___

왼쪽 ②번과 같이 문제에 색칠하고 밑줄을 그어 가며 문제를 풀어 보세요.

2-1 길이가 12 cm인 양초가 있습니다. / 이 양초에 불을 붙이면 1분에 0.54 cm씩 /
일정한 빠르기로 탄다고 합니다. / 이 양초가 9분 동안 탔다면 / 타고 남은 양초의 길이는
몇 cm인가요?

문제 돋보기

✓ 처음 양초의 길이는? → [12] cm

✓ 1분에 타는 양초의 길이는? → [0.54] cm

✓ 양초가 탄 시간은? → [9] 분

◆ 구해야 할 것은?
→ ___예 타고 남은 양초의 길이___

풀이 과정

❶ 9분 동안 탄 양초의 길이는?
[0.54] ×9= [4.86] (cm)

❷ 타고 남은 양초의 길이는?
12− [4.86] = [7.14] (cm)

답 ___7.14 cm___

문제가
어려웠나요?
💬 어려워
💬 적당해
💬 쉬워

문장제 실력 쌓기 + 소수로 나타내어 곱 구하기 + 남은 양 구하기

문제를 읽고 '연습하기'에서 했던 것처럼 밑줄을 그어 가며 문제를 풀어 보세요.

1 굵기가 일정한 철근 1 m의 무게는 3.82 kg입니다. 이 철근 70 cm의 무게는
몇 kg인가요?

❶ 70 cm는 몇 m인지 소수로 나타내면?
예 70 cm=0.7 m

❷ 철근 70 cm의 무게는?
예 3.82×0.7=2.674(kg)

답 ___2.674 kg___

2 1 km를 가는 데 기름이 0.35 L 필요한 버스가 있습니다. 이 버스가 4600 m를 가는 데
필요한 기름은 몇 L인가요?

❶ 4600 m는 몇 km인지 소수로 나타내면?
예 4600 m=4.6 km

❷ 버스가 4600 m를 가는 데 필요한 기름의 양은?
예 0.35×4.6=1.61(L)

답 ___1.61 L___

3 지은이네 집에 식용유가 2.8 L 있었습니다. 이 식용유를 하루에 0.24 L씩 3일 동안
사용했습니다. 사용하고 남은 식용유는 몇 L인가요?

❶ 3일 동안 사용한 식용유의 양은?
예 0.24×3=0.72(L)

❷ 사용하고 남은 식용유의 양은?
예 2.8−0.72=2.08(L)

답 ___2.08 L___

4 길이가 30.4 m인 끈이 있습니다. 선물 1개를 포장하는 데 끈 1.75 m가 필요하다고
합니다. 이 끈으로 선물 6개를 포장하고 남는 끈은 몇 m인가요?

❶ 선물 6개를 포장하는 데 필요한 끈의 길이는?
예 1.75×6=10.5(m)

❷ 포장하고 남는 끈의 길이는?
예 30.4−10.5=19.9(m)

답 ___19.9 m___

12일 문장제 연습하기 + 직사각형의 넓이 구하기

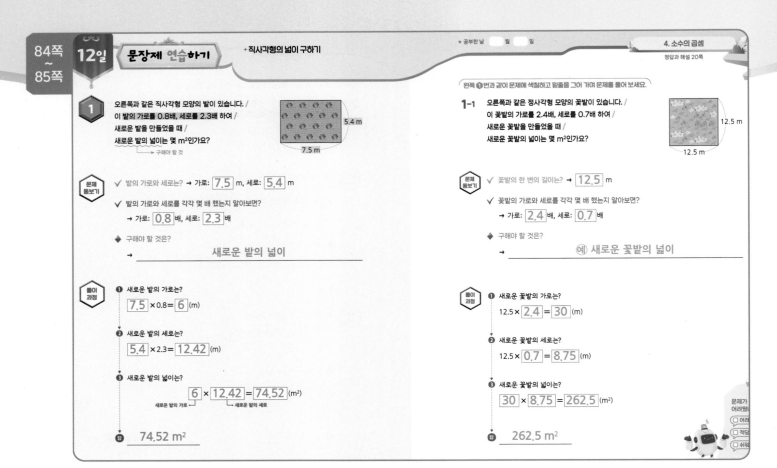

1 오른쪽과 같은 직사각형 모양의 밭이 있습니다. /
이 밭의 가로를 0.8배, 세로를 2.3배 하여 /
새로운 밭을 만들었을 때 /
새로운 밭의 넓이는 몇 m²인가요?
└→ 구해야 할 것

5.4 m
7.5 m

문제 돋보기
✓ 밭의 가로와 세로는? → 가로: 7.5 m, 세로: 5.4 m
✓ 밭의 가로와 세로를 각각 몇 배 했는지 알아보면?
→ 가로: 0.8 배, 세로: 2.3 배
◆ 구해야 할 것은?
→ __새로운 밭의 넓이__

풀이 과정
❶ 새로운 밭의 가로는?
7.5 ×0.8= 6 (m)

❷ 새로운 밭의 세로는?
5.4 ×2.3= 12.42 (m)

❸ 새로운 밭의 넓이는?
6 × 12.42 = 74.52 (m²)
└ 새로운 밭의 가로   └ 새로운 밭의 세로

답 __74.52 m²__

왼쪽 ❶번과 같이 문제에 색칠하고 밑줄을 그어 가며 문제를 풀어 보세요.

1-1 오른쪽과 같은 정사각형 모양의 꽃밭이 있습니다. /
이 꽃밭의 가로를 2.4배, 세로를 0.7배 하여 /
새로운 꽃밭을 만들었을 때 /
새로운 꽃밭의 넓이는 몇 m²인가요?

12.5 m
12.5 m

문제 돋보기
✓ 꽃밭의 한 변의 길이는? → 12.5 m
✓ 꽃밭의 가로와 세로를 각각 몇 배 했는지 알아보면?
→ 가로: 2.4 배, 세로: 0.7 배
◆ 구해야 할 것은?
→ 예 새로운 꽃밭의 넓이

풀이 과정
❶ 새로운 꽃밭의 가로는?
12.5× 2.4 = 30 (m)

❷ 새로운 꽃밭의 세로는?
12.5× 0.7 = 8.75 (m)

❸ 새로운 꽃밭의 넓이는?
30 × 8.75 = 262.5 (m²)

답 __262.5 m²__

문제가 어려웠어요
□ 어려
□ 적당
□ 쉬워

문장제 연습하기 + 곱이 가장 클(작을) 때의 값 구하기

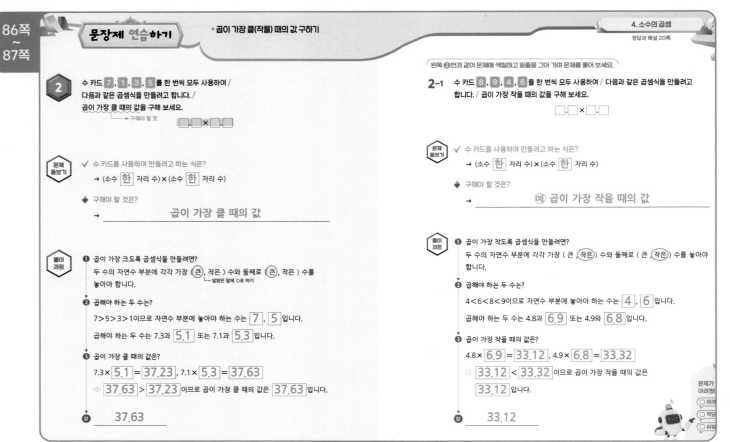

2 수 카드 7 , 1 , 3 , 5 를 한 번씩 모두 사용하여 /
다음과 같은 곱셈식을 만들려고 합니다. /
곱이 가장 클 때의 값을 구해 보세요.
└→ 구해야 할 것
□.□ × □.□

문제 돋보기
✓ 수 카드를 사용하여 만들려고 하는 식은?
→ (소수 한 자리 수) × (소수 한 자리 수)
◆ 구해야 할 것은?
→ __곱이 가장 클 때의 값__

풀이 과정
❶ 곱이 가장 크도록 곱셈식을 만들려면?
두 수의 자연수 부분에 각각 가장 (큰) , 작은) 수와 둘째로 (큰) , 작은) 수를
놓아야 합니다.
└→ 알맞은 말에 ○표 하기

❷ 곱해야 하는 두 수는?
7>5>3>1이므로 자연수 부분에 놓아야 하는 수는 7 , 5 입니다.
곱해야 하는 두 수는 7.3과 5.1 또는 7.1과 5.3 입니다.

❸ 곱이 가장 클 때의 값은?
7.3× 5.1 = 37.23 , 7.1× 5.3 = 37.63
⇨ 37.63 > 37.23 이므로 곱이 가장 클 때의 값은 37.63 입니다.

답 __37.63__

왼쪽 ❷번과 같이 문제에 색칠하고 밑줄을 그어 가며 문제를 풀어 보세요.

2-1 수 카드 8 , 9 , 4 , 6 을 한 번씩 모두 사용하여 / 다음과 같은 곱셈식을 만들려고
합니다. / 곱이 가장 작을 때의 값을 구해 보세요.
□.□ × □.□

문제 돋보기
✓ 수 카드를 사용하여 만들려고 하는 식은?
→ (소수 한 자리 수) × (소수 한 자리 수)
◆ 구해야 할 것은?
→ 예 곱이 가장 작을 때의 값

풀이 과정
❶ 곱이 가장 작도록 곱셈식을 만들려면?
두 수의 자연수 부분에 각각 가장 (큰 , 작은) 수와 둘째로 (큰 , 작은) 수를 놓아야
합니다.

❷ 곱해야 하는 두 수는?
4<6<8<9이므로 자연수 부분에 놓아야 하는 수는 4 , 6 입니다.
곱해야 하는 두 수는 4.8과 6.9 또는 4.9와 6.8 입니다.

❸ 곱이 가장 작을 때의 값은?
4.8× 6.9 = 33.12 , 4.9× 6.8 = 33.32
⇨ 33.12 < 33.32 이므로 곱이 가장 작을 때의 값은
33.12 입니다.

답 __33.12__

문제가 어려웠어
□ 어려
□ 적당
□ 쉬워

문장제 실력 쌓기

+ 직사각형의 넓이 구하기
+ 곱이 가장 클(작을) 때의 값 구하기

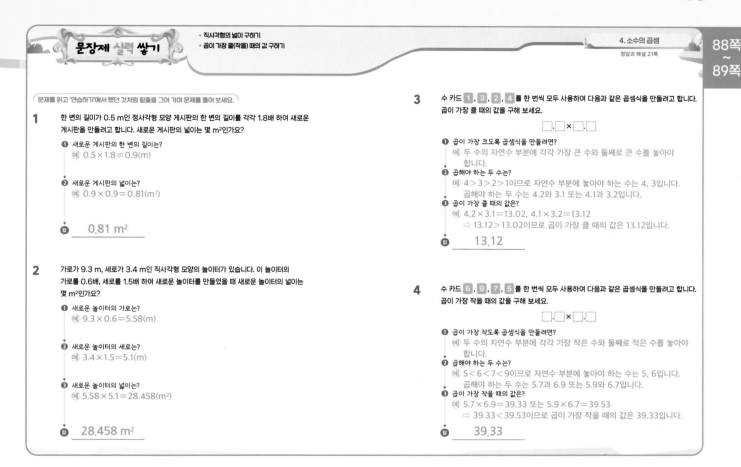

문제를 읽고 '연습하기'에서 했던 것처럼 밑줄을 그어 가며 문제를 풀어 보세요.

1 한 변의 길이가 0.5 m인 정사각형 모양 게시판의 한 변의 길이를 각각 1.8배 하여 새로운 게시판을 만들려고 합니다. 새로운 게시판의 넓이는 몇 m²인가요?

❶ 새로운 게시판의 한 변의 길이는?
예) 0.5×1.8=0.9(m)

❷ 새로운 게시판의 넓이는?
예) 0.9×0.9=0.81(m²)

답 **0.81 m²**

2 가로가 9.3 m, 세로가 3.4 m인 직사각형 모양의 놀이터가 있습니다. 이 놀이터의 가로를 0.6배, 세로를 1.5배 하여 새로운 놀이터를 만들었을 때 새로운 놀이터의 넓이는 몇 m²인가요?

❶ 새로운 놀이터의 가로는?
예) 9.3×0.6=5.58(m)

❷ 새로운 놀이터의 세로는?
예) 3.4×1.5=5.1(m)

❸ 새로운 놀이터의 넓이는?
예) 5.58×5.1=28.458(m²)

답 **28.458 m²**

3 수 카드 1 , 3 , 2 , 4 를 한 번씩 모두 사용하여 다음과 같은 곱셈식을 만들려고 합니다. 곱이 가장 클 때의 값을 구해 보세요.

□.□×□.□

❶ 곱이 가장 크도록 곱셈식을 만들려면?
예) 두 수의 자연수 부분에 각각 가장 큰 수와 둘째로 큰 수를 놓아야 합니다.

❷ 곱해야 하는 두 수는?
예) 4>3>2>1이므로 자연수 부분에 놓아야 하는 수는 4, 3입니다.
곱해야 하는 두 수는 4.2와 3.1 또는 4.1과 3.2입니다.

❸ 곱이 가장 클 때의 값은?
예) 4.2×3.1=13.02, 4.1×3.2=13.12
⇨ 13.12>13.02이므로 곱이 가장 클 때의 값은 13.12입니다.

답 **13.12**

4 수 카드 6 , 9 , 7 , 5 를 한 번씩 모두 사용하여 다음과 같은 곱셈식을 만들려고 합니다. 곱이 가장 작을 때의 값을 구해 보세요.

□.□×□.□

❶ 곱이 가장 작도록 곱셈식을 만들려면?
예) 두 수의 자연수 부분에 각각 가장 작은 수와 둘째로 작은 수를 놓아야 합니다.

❷ 곱해야 하는 두 수는?
예) 5<6<7<9이므로 자연수 부분에 놓아야 하는 수는 5, 6입니다.
곱해야 하는 두 수는 5.7과 6.9 또는 5.9와 6.7입니다.

❸ 곱이 가장 작을 때의 값은?
예) 5.7×6.9=39.33 또는 5.9×6.7=39.53
⇨ 39.33<39.53이므로 곱이 가장 작을 때의 값은 39.33입니다.

답 **39.33**

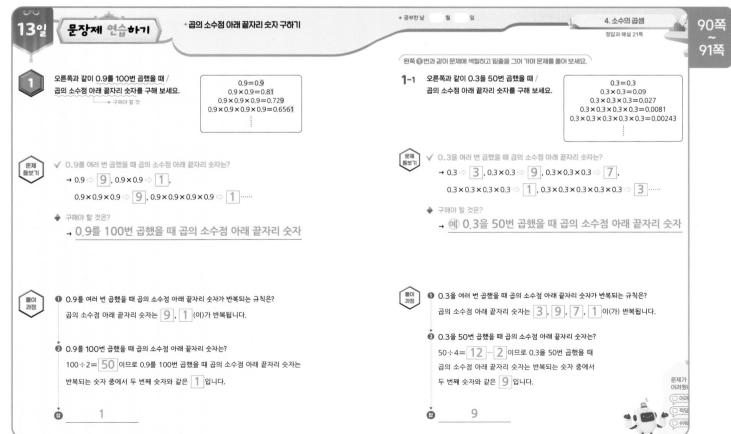

1 오른쪽과 같이 0.9를 100번 곱했을 때 / 곱의 소수점 아래 끝자리 숫자를 구해 보세요.
→ 구해야 할 것

```
0.9=0.9
0.9×0.9=0.81
0.9×0.9×0.9=0.729
0.9×0.9×0.9×0.9=0.6561
            ⋮
```

문제 돋보기
✓ 0.9를 여러 번 곱했을 때 곱의 소수점 아래 끝자리 숫자는?
→ 0.9 ⇨ **9** , 0.9×0.9 ⇨ **1** ,
0.9×0.9×0.9 ⇨ **9** , 0.9×0.9×0.9×0.9 ⇨ **1** ……

◆ 구해야 할 것은?
→ 예) 0.9를 100번 곱했을 때 곱의 소수점 아래 끝자리 숫자

풀이 과정
❶ 0.9를 여러 번 곱했을 때 곱의 소수점 아래 끝자리 숫자가 반복되는 규칙은?
곱의 소수점 아래 끝자리 숫자는 **9** , **1** (이)가 반복됩니다.

❷ 0.9를 100번 곱했을 때 곱의 소수점 아래 끝자리 숫자는?
100÷2= **50** 이므로 0.9를 100번 곱했을 때 곱의 소수점 아래 끝자리 숫자는
반복되는 숫자 중에서 두 번째 숫자와 같은 **1** 입니다.

답 **1**

1-1 오른쪽과 같이 0.3을 50번 곱했을 때 / 곱의 소수점 아래 끝자리 숫자를 구해 보세요.

```
0.3=0.3
0.3×0.3=0.09
0.3×0.3×0.3=0.027
0.3×0.3×0.3×0.3=0.0081
0.3×0.3×0.3×0.3×0.3=0.00243
```

왼쪽 ❶번과 같이 문제에 색칠하고 밑줄을 그어 가며 문제를 풀어 보세요.

문제 돋보기
✓ 0.3을 여러 번 곱했을 때 곱의 소수점 아래 끝자리 숫자는?
→ 0.3 ⇨ **3** , 0.3×0.3 ⇨ **9** , 0.3×0.3×0.3 ⇨ **7** ,
0.3×0.3×0.3×0.3 ⇨ **1** , 0.3×0.3×0.3×0.3×0.3 ⇨ **3** ……

◆ 구해야 할 것은?
→ 예) 0.3을 50번 곱했을 때 곱의 소수점 아래 끝자리 숫자

풀이 과정
❶ 0.3을 여러 번 곱했을 때 곱의 소수점 아래 끝자리 숫자가 반복되는 규칙은?
곱의 소수점 아래 끝자리 숫자는 **3** , **9** , **7** , **1** 이(가) 반복됩니다.

❷ 0.3을 50번 곱했을 때 곱의 소수점 아래 끝자리 숫자는?
50÷4= **12** … **2** 이므로 0.3을 50번 곱했을 때
곱의 소수점 아래 끝자리 숫자는 반복되는 숫자 중에서
두 번째 숫자와 같은 **9** 입니다.

답 **9**

문제가 어려웠나요?
◯ 어려워
◯ 적당해
◯ 쉬워

문장제 연습하기 · 도로의 길이 구하기

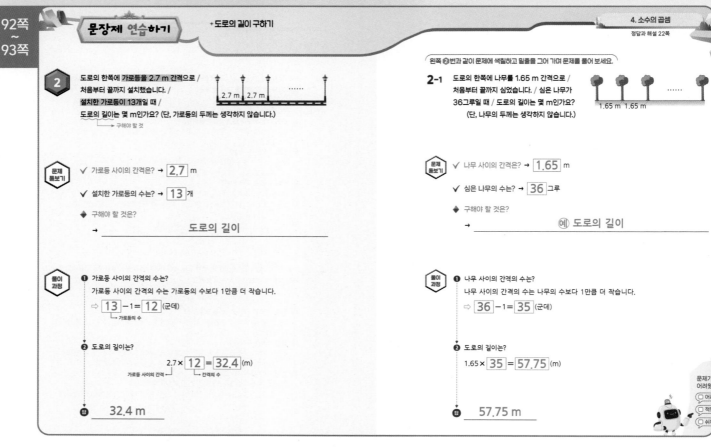

2 도로의 한쪽에 가로등을 2.7 m 간격으로 / 처음부터 끝까지 설치했습니다. / 설치한 가로등이 13개일 때 / 도로의 길이는 몇 m인가요? (단, 가로등의 두께는 생각하지 않습니다.)
→ 구해야 할 것

2.7 m 2.7 m ······

문제 돌보기

✓ 가로등 사이의 간격은? → 2.7 m

✓ 설치한 가로등의 수는? → 13 개

◆ 구해야 할 것?
→ 도로의 길이

풀이 과정

① 가로등 사이의 간격의 수는?
가로등 사이의 간격의 수는 가로등의 수보다 1만큼 더 작습니다.
⇨ 13 − 1 = 12 (군데)
└ 가로등의 수

② 도로의 길이는?
2.7 × 12 = 32.4 (m)
└ 가로등 사이의 간격 └ 간격의 수

답 32.4 m

왼쪽 ②번과 같이 문제에 색칠하고 밑줄을 그어 가며 문제를 풀어 보세요.

2-1 도로의 한쪽에 나무를 1.65 m 간격으로 / 처음부터 끝까지 심었습니다. / 심은 나무가 36그루일 때 / 도로의 길이는 몇 m인가요?
(단, 나무의 두께는 생각하지 않습니다.)

1.65 m 1.65 m

문제 돌보기

✓ 나무 사이의 간격은? → 1.65 m

✓ 심은 나무의 수는? → 36 그루

◆ 구해야 할 것?
→ 예 도로의 길이

풀이 과정

① 나무 사이의 간격의 수는?
나무 사이의 간격의 수는 나무의 수보다 1만큼 더 작습니다.
⇨ 36 − 1 = 35 (군데)

② 도로의 길이는?
1.65 × 35 = 57.75 (m)

답 57.75 m

문제가 어려웠니
어려
적당
쉬워

문장제 실력 쌓기 · 곱의 소수점 아래 끝자리 숫자 구하기 · 도로의 길이 구하기

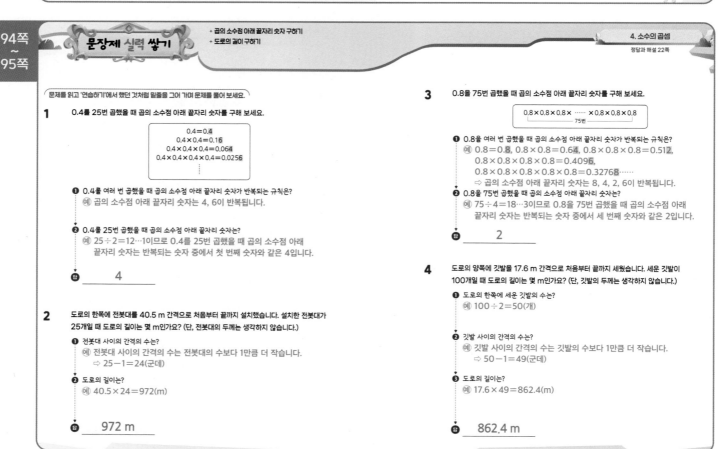

문제를 읽고 '연습하기'에서 했던 것처럼 밑줄을 그어 가며 문제를 풀어 보세요.

1 0.4를 25번 곱했을 때 곱의 소수점 아래 끝자리 숫자를 구해 보세요.

0.4 = 0.4
0.4 × 0.4 = 0.16
0.4 × 0.4 × 0.4 = 0.064
0.4 × 0.4 × 0.4 × 0.4 = 0.0256

① 0.4를 여러 번 곱했을 때 곱의 소수점 아래 끝자리 숫자가 반복되는 규칙은?
예 곱의 소수점 아래 끝자리 숫자는 4, 6이 반복됩니다.

② 0.4를 25번 곱했을 때 곱의 소수점 아래 끝자리 숫자는?
예 25 ÷ 2 = 12···1이므로 0.4를 25번 곱했을 때 곱의 소수점 아래 끝자리 숫자는 반복되는 숫자 중에서 첫 번째 숫자와 같은 4입니다.

답 4

2 도로의 한쪽에 전봇대를 40.5 m 간격으로 처음부터 끝까지 설치했습니다. 설치한 전봇대가 25개일 때 도로의 길이는 몇 m인가요? (단, 전봇대의 두께는 생각하지 않습니다.)

① 전봇대 사이의 간격의 수는?
예 전봇대 사이의 간격의 수는 전봇대의 수보다 1만큼 더 작습니다.
⇨ 25 − 1 = 24(군데)

② 도로의 길이는?
예 40.5 × 24 = 972(m)

답 972 m

3 0.8을 75번 곱했을 때 곱의 소수점 아래 끝자리 숫자를 구해 보세요.

0.8 × 0.8 × 0.8 × ······ × 0.8 × 0.8 × 0.8
└────────── 75번 ──────────┘

① 0.8을 여러 번 곱했을 때 곱의 소수점 아래 끝자리 숫자가 반복되는 규칙은?
예 0.8 = 0.8, 0.8 × 0.8 = 0.64, 0.8 × 0.8 × 0.8 = 0.512,
0.8 × 0.8 × 0.8 × 0.8 = 0.4096,
0.8 × 0.8 × 0.8 × 0.8 × 0.8 = 0.32768······
⇨ 곱의 소수점 아래 끝자리 숫자는 8, 4, 2, 6이 반복됩니다.

② 0.8을 75번 곱했을 때 곱의 소수점 아래 끝자리 숫자는?
예 75 ÷ 4 = 18···3이므로 0.8을 75번 곱했을 때 곱의 소수점 아래 끝자리 숫자는 반복되는 숫자 중에서 세 번째 숫자와 같은 2입니다.

답 2

4 도로의 양쪽에 깃발을 17.6 m 간격으로 처음부터 끝까지 세웠습니다. 세운 깃발이 100개일 때 도로의 길이는 몇 m인가요? (단, 깃발의 두께는 생각하지 않습니다.)

① 도로의 한쪽에 세운 깃발의 수는?
예 100 ÷ 2 = 50(개)

② 깃발 사이의 간격의 수는?
예 깃발 사이의 간격의 수는 깃발의 수보다 1만큼 더 작습니다.
⇨ 50 − 1 = 49(군데)

③ 도로의 길이는?
예 17.6 × 49 = 862.4(m)

답 862.4 m

1 78쪽 소수로 나타내어 곱 구하기

굵기가 일정한 통나무 1 m의 무게는 9 kg입니다. 이 통나무 350 cm의 무게는 몇 kg인가요?

풀이 예 350 cm=3.5 m이므로 통나무 350 cm의 무게는
9×3.5=31.5(kg)입니다.

답 　31.5 kg

2 80쪽 남은 양 구하기

물이 30 L 들어 있던 항아리에 구멍이 나서 1분에 1.2 L씩 일정하게 물이 새고 있습니다. 8분 후 항아리에 남은 물은 몇 L인가요?

풀이 예 8분 동안 새는 물은 1.2×8=9.6(L)입니다.
따라서 항아리에 남은 물은 30−9.6=20.4(L)입니다.

답 　20.4 L

3 84쪽 직사각형의 넓이 구하기

가로가 4 cm, 세로가 10 cm인 직사각형의 가로와 세로를 각각 1.4배 하여 새로운 직사각형을 만들었습니다. 새로운 직사각형의 넓이는 몇 cm²인가요?

풀이 예 새로운 직사각형의 가로는 4×1.4=5.6(cm)이고,
새로운 직사각형의 세로는 10×1.4=14(cm)입니다.
따라서 새로운 직사각형의 넓이는 5.6×14=78.4(cm²)입니다.

답 　78.4 cm²

4 86쪽 곱이 가장 클(작을) 때의 값 구하기

수 카드 5, 6, 8을 한 번씩 모두 사용하여 다음과 같은 곱셈식을 만들려고 합니다. 곱이 가장 클 때의 값을 구해 보세요.

$$\square \times \square . \square$$

풀이 예 곱이 가장 크도록 곱셈식을 만들려면 두 수의 자연수 부분에 각각 가장 큰 수와 둘째로 큰 수를 놓아야 합니다.
8>6>5이므로 자연수 부분에 놓아야 하는 수는 8, 6입니다.
곱해야 하는 두 수는 8과 6.5 또는 6과 8.5입니다.
8×6.5=52, 6×8.5=51
⇨ 52>51이므로 곱이 가장 클 때의 값은 52입니다.

답 　52

5 90쪽 곱의 소수점 아래 끝자리 숫자 구하기

0.2를 45번 곱했을 때 곱의 소수점 아래 끝자리 숫자를 구해 보세요.

0.2=0.2
0.2×0.2=0.04
0.2×0.2×0.2=0.008
0.2×0.2×0.2×0.2=0.0016
0.2×0.2×0.2×0.2×0.2=0.00032
⋮

풀이 예 0.2를 여러 번 곱했을 때 곱의 소수점 아래 끝자리 숫자는 2, 4, 8, 6이 반복됩니다.
45÷4=11…1이므로 0.2를 45번 곱했을 때 곱의 소수점 아래 끝자리 숫자는 반복되는 숫자 중에서 첫 번째 숫자와 같은 2입니다.

답 　2

---

6 92쪽 도로의 길이 구하기

도로의 한쪽에 가로등을 5.25 m 간격으로 처음부터 끝까지 설치했습니다. 설치한 가로등이 20개일 때 도로의 길이는 몇 m인가요?
(단, 가로등의 두께는 생각하지 않습니다.)

풀이 예 가로등 사이의 간격의 수는 가로등의 수보다 1만큼 더 작으므로
20−1=19(군데)입니다.
따라서 도로의 길이는 5.25×19=99.75(m)입니다.

답 　99.75 m

7 86쪽 곱이 가장 클(작을) 때의 값 구하기

수 카드 9, 3, 6, 4를 한 번씩 모두 사용하여 다음과 같은 곱셈식을 만들려고 합니다. 곱이 가장 작을 때의 값을 구해 보세요.

$$\square . \square \times \square . \square$$

풀이 예 곱이 가장 작도록 곱셈식을 만들려면 두 수의 자연수 부분에 각각 가장 작은 수와 둘째로 작은 수를 놓아야 합니다.
3<4<6<9이므로 자연수 부분에 놓아야 하는 수는 3, 4입니다.
곱해야 하는 두 수는 3.6과 4.9 또는 3.9와 4.6입니다.
3.6×4.9=17.64, 3.9×4.6=17.94
⇨ 17.64<17.94이므로 곱이 가장 작을 때의 값은 17.64입니다.

답 　17.64

8 92쪽 도로의 길이 구하기

도로의 양쪽에 나무를 12.78 m 간격으로 처음부터 끝까지 심었습니다. 심은 나무가 50그루일 때 도로의 길이는 몇 m인가요? (단, 나무의 두께는 생각하지 않습니다.)

풀이 예 도로의 한쪽에 심은 나무는 50÷2=25(그루)입니다.
나무 사이의 간격의 수는 나무의 수보다 1만큼 더 작으므로
25−1=24(군데)입니다.
따라서 도로의 길이는 12.78×24=306.72(m)입니다.

답 　306.72 m

9 90쪽 곱의 소수점 아래 끝자리 숫자 구하기

0.7을 100번 곱했을 때 곱의 소수 100째 자리 숫자를 구해 보세요.

$$\underbrace{0.7 \times 0.7 \times 0.7 \times \cdots \times 0.7 \times 0.7 \times 0.7}_{100번}$$

풀이
예 0.7=0.7, 0.7×0.7=0.49, 0.7×0.7×0.7=0.343,
0.7×0.7×0.7×0.7=0.2401, 0.7×0.7×0.7×0.7×0.7=0.16807……
0.7을 여러 번 곱했을 때 곱의 소수점 아래 끝자리 숫자는 7, 9, 3, 1이 반복됩니다.
0.7을 100번 곱하면 곱은 소수 100자리 수가 되므로 소수 100째 자리 숫자는 소수점 아래 끝자리 숫자입니다. 100÷4=25이므로 0.7을 100번 곱했을 때 곱의 소수 100째 자리 숫자는 반복되는 숫자 중에서 네 번째 숫자와 같은 1입니다.

답 　1

10 도전문제 84쪽 직사각형의 넓이 구하기

오른쪽과 같은 직사각형 모양의 밭이 있습니다. 이 밭의 가로를 0.9배, 세로를 2.6배 하여 새로운 밭을 만들었습니다. 처음 밭의 넓이와 새로운 밭의 넓이의 차는 몇 m²인가요?

5.5 m
8 m

❶ 가로가 8 m, 세로가 5.5 m인 직사각형 모양의 밭의 넓이는?
예 8×5.5=44(m²)

❷ 새로운 밭의 넓이는?
예 새로운 밭의 가로는 8×0.9=7.2(m)이고,
새로운 밭의 세로는 5.5×2.6=14.3(m)입니다.
따라서 새로운 밭의 넓이는 7.2×14.3=102.96(m²)입니다.

❸ 처음 밭의 넓이와 새로운 밭의 넓이의 차는?
예 102.96−44=58.96(m²)

답 　58.96 m²

5. 직육면체와 정육면체

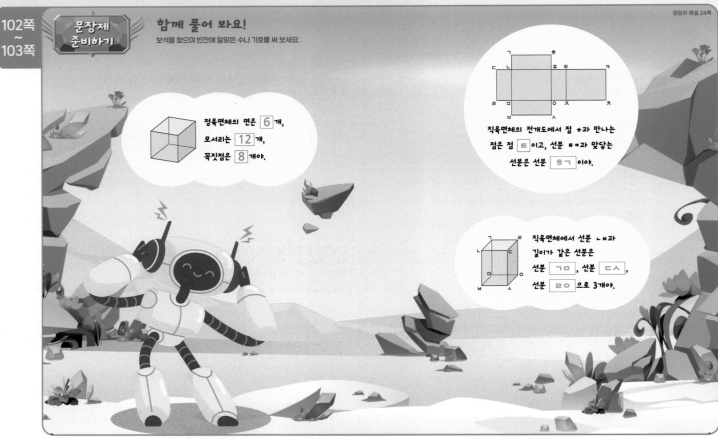

문장제 준비하기

함께 풀어 봐요!

보석을 찾으며 빈칸에 알맞은 수나 기호를 써 보세요.

정답과 해설 24쪽

정육면체의 면은 6개, 모서리는 12개, 꼭짓점은 8개야.

직육면체의 전개도에서 점 ㅎ과 만나는 점은 점 ㅌ이고, 선분 ㅌㅋ과 맞닿는 선분은 선분 ㅎㄱ이야.

직육면체에서 선분 ㄴㅂ과 길이가 같은 선분은 선분 ㄱㅁ, 선분 ㄷㅅ, 선분 ㄹㅇ으로 3개야.

15일 **문장제 연습하기** · 정육면체의 전개도의 둘레 구하기

✦ 공부한 날 　 월 　 일

5. 직육면체와 정육면체

정답과 해설 24쪽

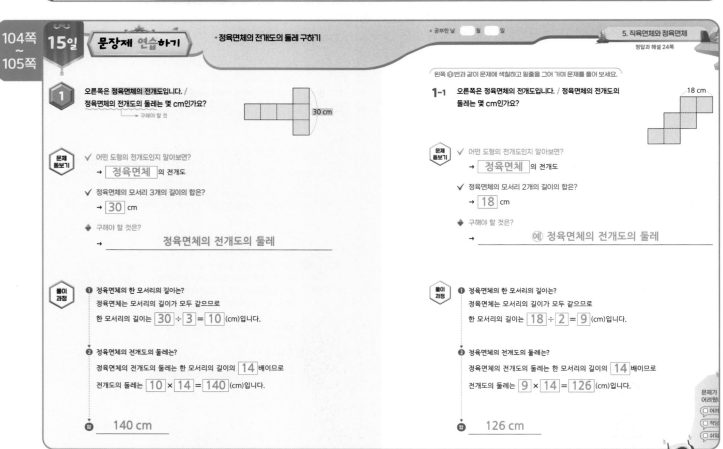

1 오른쪽은 정육면체의 전개도입니다. / 정육면체의 전개도의 둘레는 몇 cm인가요?

└─ 구해야 할 것

30 cm

문제 돋보기

✔ 어떤 도형의 전개도인지 알아보면?
→ 정육면체 의 전개도

✔ 정육면체의 모서리 3개의 길이의 합은?
→ 30 cm

◆ 구해야 할 것은?
→ 정육면체의 전개도의 둘레

풀이 과정

❶ 정육면체의 한 모서리의 길이는?
정육면체는 모서리의 길이가 모두 같으므로
한 모서리의 길이는 30 ÷ 3 = 10 (cm)입니다.

❷ 정육면체의 전개도의 둘레는?
정육면체의 전개도의 둘레는 한 모서리의 길이의 14 배이므로
전개도의 둘레는 10 × 14 = 140 (cm)입니다.

답 140 cm

왼쪽 ❶번과 같이 문제에 색칠하고 밑줄을 그어 가며 문제를 풀어 보세요.

1-1 오른쪽은 정육면체의 전개도입니다. / 정육면체의 전개도의 둘레는 몇 cm인가요?

18 cm

문제 돋보기

✔ 어떤 도형의 전개도인지 알아보면?
→ 정육면체 의 전개도

✔ 정육면체의 모서리 2개의 길이의 합은?
→ 18 cm

◆ 구해야 할 것은?
→ 예 정육면체의 전개도의 둘레

풀이 과정

❶ 정육면체의 한 모서리의 길이는?
정육면체는 모서리의 길이가 모두 같으므로
한 모서리의 길이는 18 ÷ 2 = 9 (cm)입니다.

❷ 정육면체의 전개도의 둘레는?
정육면체의 전개도의 둘레는 한 모서리의 길이의 14 배이므로
전개도의 둘레는 9 × 14 = 126 (cm)입니다.

답 126 cm

문제가 어려웠나
□ 어려
□ 적당
□ 쉬워

문장제 연습하기

+ 정육면체의 한 면의 넓이 구하기

2 오른쪽 정육면체의 모든 모서리의 길이의 합은 72 cm입니다. /
정육면체의 한 면의 넓이는 몇 cm²인가요?
→ 구해야 할 것

문제 돋보기

✔ 정육면체에서 길이가 같은 모서리의 수는?
→ 12 개

✔ 정육면체의 모든 모서리의 길이의 합은?
→ 72 cm

◆ 구해야 할 것은?
→ 정육면체의 한 면의 넓이

풀이 과정

❶ 정육면체의 한 모서리의 길이는?
72 ÷ 12 = 6 (cm)
모든 모서리의 길이의 합 ┘ └ 모서리의 수

❷ 정육면체의 한 면의 넓이는?
6 × 6 = 36 (cm²)

답 36 cm²

왼쪽 ❷번과 같이 문제에 색칠하고 밑줄을 그어 가며 문제를 풀어 보세요.

2-1 오른쪽 정육면체의 모든 모서리의 길이의 합은 120 cm입니다. /
정육면체의 한 면의 넓이는 몇 cm²인가요?

문제 돋보기

✔ 정육면체에서 길이가 같은 모서리의 수는?
→ 12 개

✔ 정육면체의 모든 모서리의 길이의 합은?
→ 120 cm

◆ 구해야 할 것은?
→ 예 정육면체의 한 면의 넓이

풀이 과정

❶ 정육면체의 한 모서리의 길이는?
120 ÷ 12 = 10 (cm)

❷ 정육면체의 한 면의 넓이는?
10 × 10 = 100 (cm²)

답 100 cm²

문제가
어려웠나
☐ 어려
☐ 적당
☐ 쉬워

문장제 실력 쌓기

+ 정육면체의 전개도의 둘레 구하기
+ 정육면체의 한 면의 넓이 구하기

문제를 읽고 '연습하기'에서 했던 것처럼 밑줄을 그어 가며 문제를 풀어 보세요.

1 오른쪽은 정육면체의 전개도입니다. 정육면체의 전개도의
둘레는 몇 cm인가요?

24 cm

❶ 정육면체의 한 모서리의 길이는?
예 정육면체는 모서리의 길이가 모두 같으므로
한 모서리의 길이는 24 ÷ 2 = 12(cm)입니다.

❷ 정육면체의 전개도의 둘레는?
예 정육면체의 전개도의 둘레는 한 모서리의 길이의 14배이므로
전개도의 둘레는 12 × 14 = 168(cm)입니다.

답 168 cm

2 오른쪽은 정육면체의 전개도입니다. 정육면체의
전개도의 둘레는 몇 cm인가요?

90 cm

❶ 정육면체의 한 모서리의 길이는?
예 정육면체는 모서리의 길이가 모두 같으므로
한 모서리의 길이는 90 ÷ 3 = 30(cm)입니다.

❷ 정육면체의 전개도의 둘레는?
예 정육면체의 전개도의 둘레는 한 모서리의 길이의 14배이므로
전개도의 둘레는 30 × 14 = 420(cm)입니다.

답 420 cm

---

3 모든 모서리의 길이의 합이 156 cm인 정육면체가 있습니다. 정육면체의 한 면의 넓이는
몇 cm²인가요?

❶ 정육면체의 한 모서리의 길이는?
예 정육면체에는 길이가 같은 모서리가 12개 있으므로
한 모서리의 길이는 156 ÷ 12 = 13(cm)입니다.

❷ 정육면체의 한 면의 넓이는?
예 13 × 13 = 169(cm²)

답 169 cm²

4 모든 모서리의 길이의 합이 180 cm인 정육면체가 있습니다. 정육면체의 한 면의 넓이는
몇 cm²인가요?

❶ 정육면체의 한 모서리의 길이는?
예 정육면체에는 길이가 같은 모서리가 12개 있으므로
한 모서리의 길이는 180 ÷ 12 = 15(cm)입니다.

❷ 정육면체의 한 면의 넓이는?
예 15 × 15 = 225(cm²)

답 225 cm²

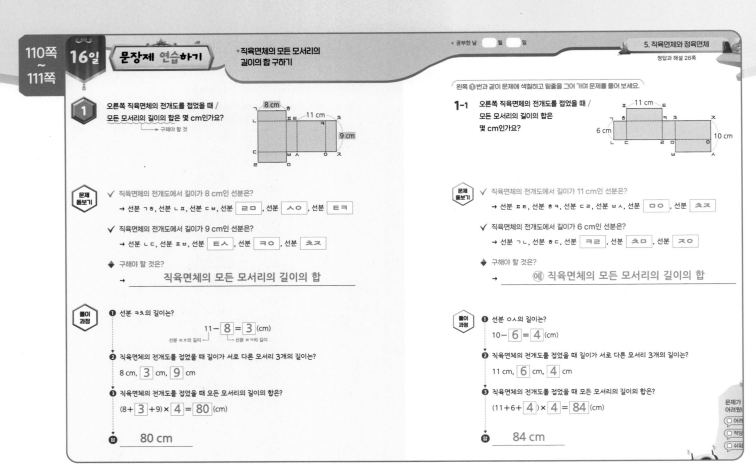

1 오른쪽 직육면체의 전개도를 접었을 때 / 모든 모서리의 길이의 합은 몇 cm인가요? → 구해야 할 것

문제 돋보기

✓ 직육면체의 전개도에서 길이가 8 cm인 선분은?

→ 선분 ㄱㅎ, 선분 ㄴㅍ, 선분 ㄷㅂ, 선분 ㄹㅁ , 선분 ㅅㅇ , 선분 ㅌㅋ

✓ 직육면체의 전개도에서 길이가 9 cm인 선분은?

→ 선분 ㄴㄷ, 선분 ㅍㅂ, 선분 ㅌㅅ , 선분 ㅋㅇ , 선분 ㅊㅈ

◆ 구해야 할 것은?

→ 직육면체의 모든 모서리의 길이의 합

풀이 과정

❶ 선분 ㅋㅊ의 길이는?

$11 - \boxed{8} = \boxed{3}$ (cm)
선분 ㅌㅋ의 길이 — 선분 ㅌㅋ의 길이

❷ 직육면체의 전개도를 접었을 때 길이가 서로 다른 모서리 3개의 길이는?

8 cm, $\boxed{3}$ cm, 9 cm

❸ 직육면체의 전개도를 접었을 때 모든 모서리의 길이의 합은?

$(8 + \boxed{3} + 9) \times \boxed{4} = \boxed{80}$ (cm)

답 _____80 cm_____

왼쪽 ❶번과 같이 문제에 색칠하고 밑줄을 그어 가며 문제를 풀어 보세요.

1-1 오른쪽 직육면체의 전개도를 접었을 때 / 모든 모서리의 길이의 합은 몇 cm인가요?

문제 돋보기

✓ 직육면체의 전개도에서 길이가 11 cm인 선분은?

→ 선분 ㅍㅌ, 선분 ㅎㅋ, 선분 ㄷㄹ, 선분 ㅂㅅ, 선분 ㅁㅇ , 선분 ㅊㅈ

✓ 직육면체의 전개도에서 길이가 6 cm인 선분은?

→ 선분 ㄱㄴ, 선분 ㅎㄷ, 선분 ㅋㄹ , 선분 ㅊㅁ , 선분 ㅈㅇ

◆ 구해야 할 것은?

→ 예) 직육면체의 모든 모서리의 길이의 합

풀이 과정

❶ 선분 ㅇㅅ의 길이는?

$10 - \boxed{6} = \boxed{4}$ (cm)

❷ 직육면체의 전개도를 접었을 때 길이가 서로 다른 모서리 3개의 길이는?

11 cm, $\boxed{6}$ cm, $\boxed{4}$ cm

❸ 직육면체의 전개도를 접었을 때 모든 모서리의 길이의 합은?

$(11 + 6 + \boxed{4}) \times \boxed{4} = \boxed{84}$ (cm)

답 _____84 cm_____

문제가 어려웠나요?
○ 어려
○ 적당
○ 쉬워

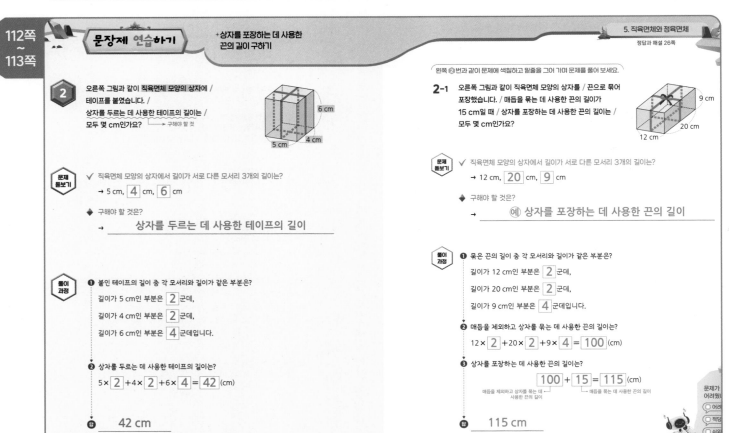

2 오른쪽 그림과 같이 직육면체 모양의 상자에 / 테이프를 붙였습니다. / 상자를 두르는 데 사용한 테이프의 길이는 / 모두 몇 cm인가요? → 구해야 할 것

문제 돋보기

✓ 직육면체 모양의 상자에서 길이가 서로 다른 모서리 3개의 길이는?

→ 5 cm, $\boxed{4}$ cm, $\boxed{6}$ cm

◆ 구해야 할 것은?

→ 상자를 두르는 데 사용한 테이프의 길이

풀이 과정

❶ 붙인 테이프의 길이 중 각 모서리와 길이가 같은 부분은?

길이가 5 cm인 부분은 $\boxed{2}$ 군데,

길이가 4 cm인 부분은 $\boxed{2}$ 군데,

길이가 6 cm인 부분은 $\boxed{4}$ 군데입니다.

❷ 상자를 두르는 데 사용한 테이프의 길이는?

$5 \times \boxed{2} + 4 \times \boxed{2} + 6 \times \boxed{4} = \boxed{42}$ (cm)

답 _____42 cm_____

왼쪽 ❷번과 같이 문제에 색칠하고 밑줄을 그어 가며 문제를 풀어 보세요.

2-1 오른쪽 그림과 같이 직육면체 모양의 상자를 / 끈으로 묶어 포장했습니다. / 매듭을 묶는 데 사용한 끈의 길이가 15 cm일 때 / 상자를 포장하는 데 사용한 끈의 길이는 / 모두 몇 cm인가요?

문제 돋보기

✓ 직육면체 모양의 상자에서 길이가 서로 다른 모서리 3개의 길이는?

→ 12 cm, $\boxed{20}$ cm, $\boxed{9}$ cm

◆ 구해야 할 것은?

→ 예) 상자를 포장하는 데 사용한 끈의 길이

풀이 과정

❶ 묶은 끈의 길이 중 각 모서리와 길이가 같은 부분은?

길이가 12 cm인 부분은 $\boxed{2}$ 군데,

길이가 20 cm인 부분은 $\boxed{2}$ 군데,

길이가 9 cm인 부분은 $\boxed{4}$ 군데입니다.

❷ 매듭을 제외하고 상자를 묶는 데 사용한 끈의 길이는?

$12 \times \boxed{2} + 20 \times \boxed{2} + 9 \times \boxed{4} = \boxed{100}$ (cm)

❸ 상자를 포장하는 데 사용한 끈의 길이는?

$\boxed{100} + \boxed{15} = \boxed{115}$ (cm)
매듭을 제외하고 상자를 묶는 데 사용한 끈의 길이 — 매듭을 묶는 데 사용한 끈의 길이

답 _____115 cm_____

문제가 어려웠나요?
○ 어려
○ 적당
○ 쉬워

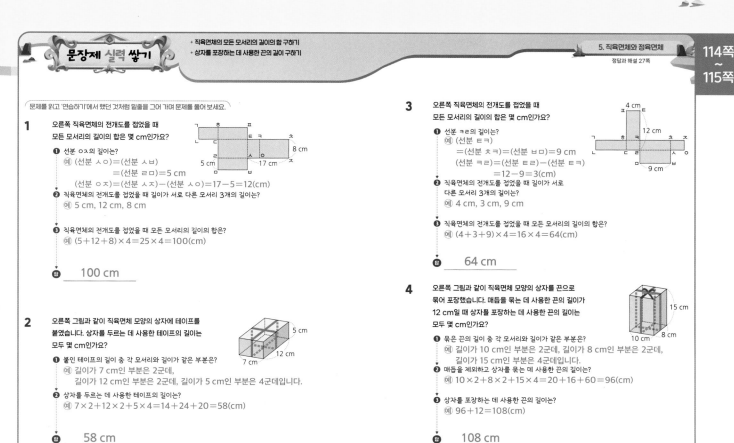

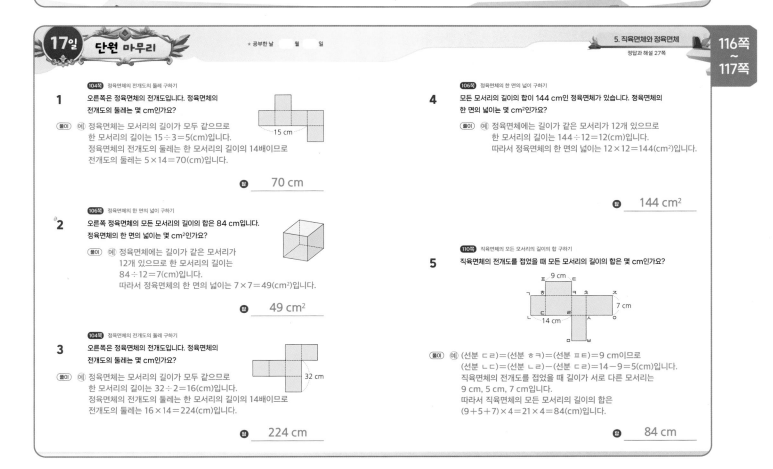

문장제 실력 쌓기

+ 직육면체의 모든 모서리의 길이의 합 구하기
+ 상자를 포장하는 데 사용한 끈의 길이 구하기

문제를 읽고 '연습하기'에서 했던 것처럼 밑줄을 그어 가며 문제를 풀어 보세요.

1 오른쪽 직육면체의 전개도를 접었을 때 모든 모서리의 길이의 합은 몇 cm인가요?

❶ 선분 ㅇㅈ의 길이는?
예 (선분 ㅅㅇ)＝(선분 ㅅㅂ)
＝(선분 ㄹㅁ)＝5 cm
(선분 ㅇㅈ)＝(선분 ㅅㅈ)－(선분 ㅅㅇ)＝17－5＝12(cm)

❷ 직육면체의 전개도를 접었을 때 길이가 서로 다른 모서리 3개의 길이는?
예 5 cm, 12 cm, 8 cm

❸ 직육면체의 전개도를 접었을 때 모든 모서리의 길이의 합은?
예 (5＋12＋8)×4＝25×4＝100(cm)

답 100 cm

2 오른쪽 그림과 같이 직육면체 모양의 상자에 테이프를 붙였습니다. 상자를 두르는 데 사용한 테이프의 길이는 모두 몇 cm인가요?

❶ 붙인 테이프의 길이 중 각 모서리와 길이가 같은 부분은?
예 길이가 7 cm인 부분은 2군데, 길이가 12 cm인 부분은 2군데, 길이가 5 cm인 부분은 4군데입니다.

❷ 상자를 두르는 데 사용한 테이프의 길이는?
예 7×2＋12×2＋5×4＝14＋24＋20＝58(cm)

답 58 cm

3 오른쪽 직육면체의 전개도를 접었을 때 모든 모서리의 길이의 합은 몇 cm인가요?

❶ 선분 ㅋㄹ의 길이는?
예 (선분 ㅌㅋ)
＝(선분 ㅊㅋ)＝(선분 ㅂㅁ)＝9 cm
(선분 ㅋㄹ)＝(선분 ㅌㄹ)－(선분 ㅌㅋ)
＝12－9＝3(cm)

❷ 직육면체의 전개도를 접었을 때 길이가 서로 다른 모서리 3개의 길이는?
예 4 cm, 3 cm, 9 cm

❸ 직육면체의 전개도를 접었을 때 모든 모서리의 길이의 합은?
예 (4＋3＋9)×4＝16×4＝64(cm)

답 64 cm

4 오른쪽 그림과 같이 직육면체 모양의 상자를 끈으로 묶어 포장했습니다. 매듭을 묶는 데 사용한 끈의 길이가 12 cm일 때 상자를 포장하는 데 사용한 끈의 길이는 모두 몇 cm인가요?

❶ 묶은 끈의 길이 중 각 모서리와 길이가 같은 부분은?
예 길이가 10 cm인 부분은 2군데, 길이가 8 cm인 부분은 2군데, 길이가 15 cm인 부분은 4군데입니다.

❷ 매듭을 제외하고 상자를 묶는 데 사용한 끈의 길이는?
예 10×2＋8×2＋15×4＝20＋16＋60＝96(cm)

❸ 상자를 포장하는 데 사용한 끈의 길이는?
예 96＋12＝108(cm)

답 108 cm

17일 단원 마무리

★ 공부한 날   월   일

1 104쪽 정육면체의 전개도의 둘레 구하기
오른쪽은 정육면체의 전개도입니다. 정육면체의 전개도의 둘레는 몇 cm인가요?

풀이 예 정육면체는 모서리의 길이가 모두 같으므로 한 모서리의 길이는 15÷3＝5(cm)입니다.
정육면체의 전개도의 둘레는 한 모서리의 길이의 14배이므로 전개도의 둘레는 5×14＝70(cm)입니다.

답 70 cm

2 106쪽 정육면체의 한 면의 넓이 구하기
오른쪽 정육면체의 모든 모서리의 길이의 합은 84 cm입니다. 정육면체의 한 면의 넓이는 몇 cm²인가요?

풀이 예 정육면체에는 길이가 같은 모서리가 12개 있으므로 한 모서리의 길이는 84÷12＝7(cm)입니다.
따라서 정육면체의 한 면의 넓이는 7×7＝49(cm²)입니다.

답 49 cm²

3 104쪽 정육면체의 전개도의 둘레 구하기
오른쪽은 정육면체의 전개도입니다. 정육면체의 전개도의 둘레는 몇 cm인가요?

풀이 예 정육면체는 모서리의 길이가 모두 같으므로 한 모서리의 길이는 32÷2＝16(cm)입니다.
정육면체의 전개도의 둘레는 한 모서리의 길이의 14배이므로 전개도의 둘레는 16×14＝224(cm)입니다.

답 224 cm

4 106쪽 정육면체의 한 면의 넓이 구하기
모든 모서리의 길이의 합이 144 cm인 정육면체가 있습니다. 정육면체의 한 면의 넓이는 몇 cm²인가요?

풀이 예 정육면체에는 길이가 같은 모서리가 12개 있으므로 한 모서리의 길이는 144÷12＝12(cm)입니다.
따라서 정육면체의 한 면의 넓이는 12×12＝144(cm²)입니다.

답 144 cm²

5 110쪽 직육면체의 모든 모서리의 길이의 합 구하기
직육면체의 전개도를 접었을 때 모든 모서리의 길이의 합은 몇 cm인가요?

풀이 예 (선분 ㄷㄹ)＝(선분 ㅎㅋ)＝(선분 ㅍㅌ)＝9 cm이므로
(선분 ㄴㄷ)＝(선분 ㄴㄹ)－(선분 ㄷㄹ)＝14－9＝5(cm)입니다.
직육면체의 전개도를 접었을 때 길이가 서로 다른 모서리는 9 cm, 5 cm, 7 cm입니다.
따라서 직육면체의 모든 모서리의 길이의 합은 (9＋5＋7)×4＝21×4＝84(cm)입니다.

답 84 cm

6 `112쪽` 상자를 포장하는 데 사용한 끈의 길이 구하기

오른쪽 그림과 같이 직육면체 모양의 상자에 테이프를 붙였습니다. 상자를 두르는 데 사용한 테이프의 길이는 모두 몇 cm인가요?

(풀이) (예) 붙인 테이프의 길이 중 각 모서리와 길이가 같은 부분은 길이가 8 cm인 부분이 2군데,
길이가 3 cm인 부분이 2군데, 길이가 10 cm인 부분이 4군데입니다.
따라서 상자를 두르는 데 사용한 테이프의 길이는
모두 8×2+3×2+10×4=16+6+40=62(cm)입니다.

답 __62 cm__

7 `110쪽` 직육면체의 모든 모서리의 길이의 합 구하기

오른쪽 직육면체의 전개도를 접었을 때 모든 모서리의 길이의 합은 몇 cm인가요?

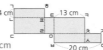

(풀이) (예) (선분 ㅂㅅ)=(선분 ㅁㅊ)=(선분 ㅌㅋ)=13 cm
(선분 ㅅㅇ)=(선분 ㅂㅇ)=(선분 ㅌㅋ)=20-13=7(cm)
직육면체의 전개도를 접었을 때 길이가 서로 다른 모서리는 4 cm, 13 cm, 7 cm입니다.
따라서 직육면체의 모든 모서리의 길이의 합은 (4+13+7)×4=24×4=96(cm)입니다.

답 __96 cm__

8 `112쪽` 상자를 포장하는 데 사용한 끈의 길이 구하기

오른쪽 그림과 같이 정육면체 모양의 상자를 끈으로 묶어 포장했습니다. 매듭을 묶는 데 사용한 끈의 길이가 14 cm일 때 상자를 포장하는 데 사용한 끈의 길이는 모두 몇 cm인가요?

(풀이) 매듭을 제외하고 상자를 묶는 데 사용한 끈의 길이는 11×8=88(cm)입니다.
매듭을 묶는 데 사용한 끈의 길이가 14 cm이므로 상자를 포장하는 데 사용한 끈의 길이는 모두 88+14=102(cm)입니다.

답 __102 cm__

9 `110쪽` 직육면체의 모든 모서리의 길이의 합 구하기

오른쪽 직육면체의 전개도를 접었을 때 모든 모서리의 길이의 합은 몇 cm인가요?

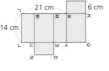

(풀이) (예) (선분 ㄱㅎ)=(선분 ㅍㅌ)=(선분 ㅋㅌ)
=(선분 ㅊㅈ)=6 cm이므로
(선분 ㅎㅍ)=(선분 ㄱㅌ)-(선분 ㄱㅎ)-(선분 ㅍㅌ)
=21-6-6=9(cm)입니다.
직육면체의 전개도를 접었을 때 길이가 서로 다른 모서리는 14 cm, 9 cm, 6 cm입니다.
따라서 직육면체의 모든 모서리의 길이의 합은
(14+9+6)×4=29×4=116(cm)입니다.

답 __116 cm__

10 도전 문제 `112쪽` 상자를 포장하는 데 사용한 끈의 길이 구하기

명윤이가 오른쪽 그림과 같이 직육면체 모양의 상자에 테이프를 붙였습니다. 상자를 두르고 남은 테이프의 길이가 26 cm라면 명윤이가 처음에 가지고 있던 테이프의 길이는 몇 cm인가요?

❶ 붙인 테이프의 길이 중 각 모서리와 길이가 같은 부분은?
(예) 길이가 30인 부분은 2군데, 길이가 16 cm인 부분은 4군데, 길이가 25 cm인 부분은 6군데입니다.
❷ 상자를 두르는 데 사용한 테이프의 길이는?
(예) 상자를 두르는 데 사용한 테이프의 길이는
30×2+16×4+25×6=60+64+150=274(cm)입니다.
❸ 명윤이가 처음에 가지고 있던 테이프의 길이는?
(예) 상자를 두르고 남은 테이프의 길이가 26 cm이므로 명윤이가 처음에 가지고 있던 테이프의 길이는 274+26=300(cm)입니다.

답 __300 cm__

6. 평균과 가능성

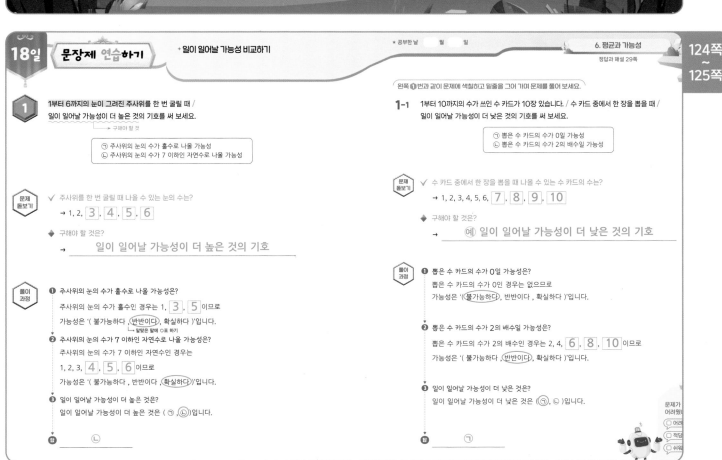

문장제 연습하기
+ 평균 비교하기

2 민채와 태우의 줄넘기 기록을 나타낸 표입니다. /
두 사람 중 줄넘기 기록의 평균이 / 더 높은 사람은 누구인가요?
└─ 구해야 할 것

민채의 줄넘기 기록

회	1회	2회	3회	4회
기록(번)	94	85	93	100

태우의 줄넘기 기록

회	1회	2회	3회	4회
기록(번)	89	97	95	99

문제 돋보기

✓ 민채의 줄넘기 기록은?
→ 1회: [94] 번, 2회: [85] 번, 3회: [93] 번, 4회: [100] 번

✓ 태우의 줄넘기 기록은?
→ 1회: [89] 번, 2회: [97] 번, 3회: [95] 번, 4회: [99] 번

◆ 구해야 할 것은?
→ 줄넘기 기록의 평균이 더 높은 사람

풀이 과정

❶ 민채의 줄넘기 기록의 평균은?
(94+85+93+100)÷ [4] = [93] (번)
민채의 줄넘기 기록의 합   민채가 줄넘기를 한 횟수

❷ 태우의 줄넘기 기록의 평균은?
(89+97+95+99)÷ [4] = [95] (번)
태우의 줄넘기 기록의 합   태우가 줄넘기를 한 횟수

❸ 두 사람 중 줄넘기 기록의 평균이 더 높은 사람은?
[95] > [93] 이므로 줄넘기 기록의 평균이 더 높은 사람은 [태우] 입니다.

답   태우

왼쪽 ❷번과 같이 문제에 색칠하고 밑줄을 그어 가며 문제를 풀어 보세요.

2-1 정아네 모둠과 승호네 모둠이 지난 주말에 운동한 시간을 나타낸 표입니다. /
두 모둠 중 평균 운동 시간이 / 더 긴 모둠은 어느 모둠인가요?

정아네 모둠의 운동 시간

이름	정아	시현	승준
운동 시간(분)	64	50	57

승호네 모둠의 운동 시간

이름	승호	재형	회주	민선
운동 시간(분)	45	56	64	59

문제 돋보기

✓ 정아네 모둠의 운동 시간은?
→ 정아: [64] 분, 시현: [50] 분, 승준: [57] 분

✓ 승호네 모둠의 운동 시간은?
→ 승호: [45] 분, 재형: [56] 분, 회주: [64] 분, 민선: [59] 분

◆ 구해야 할 것은?
→ (예) 평균 운동 시간이 더 긴 모둠

풀이 과정

❶ 정아네 모둠의 평균 운동 시간은?
(64+50+57)÷ [3] = [57] (분)

❷ 승호네 모둠의 평균 운동 시간은?
(45+56+64+59)÷ [4] = [56] (분)

❸ 두 모둠 중 평균 운동 시간이 더 긴 모둠은?
[57] > [56] 이므로 평균 운동 시간이 더 긴 모둠은
[정아] 네 모둠입니다.

답   정아네 모둠

문장제 실력 쌓기
+ 일이 일어날 가능성 비교하기
+ 평균 비교하기

문제를 읽고 '연습하기'에서 했던 것처럼 밑줄을 그어 가며 문제를 풀어 보세요.

1 흰색 공 1개와 검은색 공 1개가 들어 있는 주머니에서 공 1개를 꺼낼 때 일이 일어날
가능성이 더 높은 것의 기호를 써 보세요.

> ㉠ 꺼낸 공이 파란색일 가능성
> ㉡ 꺼낸 공이 흰색일 가능성

❶ 일이 일어날 가능성은?
예 ㉠ 꺼낸 공이 파란색인 경우는 없으므로 가능성은 '불가능하다'입니다.
    ㉡ 꺼낸 공이 흰색인 경우는 공 2개 중 1개이므로 가능성은 '반반이다'입니다.

❷ 일이 일어날 가능성이 더 높은 것의 기호를 쓰면?
예 일이 일어날 가능성이 더 높은 것은 ㉡입니다.

답   ㉡

2 4장의 수 카드 [3], [5], [7], [9] 중 한 장을 뽑았을 때 일이 일어날 가능성이 가장 낮은
것을 찾아 기호를 써 보세요.

> ㉠ 수 카드의 수가 7보다 작은 수가 나올 가능성
> ㉡ 수 카드의 수가 자연수가 나올 가능성
> ㉢ 수 카드의 수가 짝수가 나올 가능성

❶ 일이 일어날 가능성은?
예 ㉠ 수 카드의 수가 7보다 작은 수인 경우는 3, 5이므로 가능성은 '반반이다'입니다.
    ㉡ 수 카드의 수가 자연수인 경우는 3, 5, 7, 9이므로 가능성은 '확실하다'입니다.
    ㉢ 수 카드의 수가 짝수인 경우는 없으므로 가능성은 '불가능하다'입니다.

❷ 일이 일어날 가능성이 가장 낮은 것을 찾아 기호를 쓰면?
예 일이 일어날 가능성이 가장 낮은 것은 ㉢입니다.

답   ㉢

3 동표와 현지의 수학 점수를 나타낸 표입니다. 두 사람 중 수학 점수의 평균이 더 높은 사람은
누구인가요?

동표의 수학 점수

회	1회	2회	3회	4회
점수(점)	80	75	92	81

현지의 수학 점수

회	1회	2회	3회	4회
점수(점)	90	69	80	93

❶ 동표의 수학 점수의 평균은?
예 (80+75+92+81)÷4=82(점)

❷ 현지의 수학 점수의 평균은?
예 (90+69+80+93)÷4=83(점)

❸ 두 사람 중 수학 점수의 평균이 더 높은 사람은?
예 83>82이므로 수학 점수의 평균이 더 높은 사람은 현지입니다.

답   현지

4 소라네 모둠과 준하네 모둠이 모은 헌 옷의 무게를 나타낸 표입니다. 두 모둠 중 모은 헌 옷의
무게의 평균이 더 가벼운 모둠은 어느 모둠인가요?

소라네 모둠이 모은 헌 옷의 무게

이름	소라	은결	민지
무게(kg)	44	41	35

준하네 모둠이 모은 헌 옷의 무게

이름	준하	혜인	재준	유선
무게(kg)	40	34	52	30

❶ 소라네 모둠이 모은 헌 옷의 무게의 평균은?
예 (44+41+35)÷3=40(kg)

❷ 준하네 모둠이 모은 헌 옷의 무게의 평균은?
예 (40+34+52+30)÷4=39(kg)

❸ 두 모둠 중 모은 헌 옷의 무게의 평균이 더 가벼운 모둠은?
예 39<40이므로 모은 헌 옷의 무게의 평균이 더 가벼운 모둠은
준하네 모둠입니다.

답   준하네 모둠

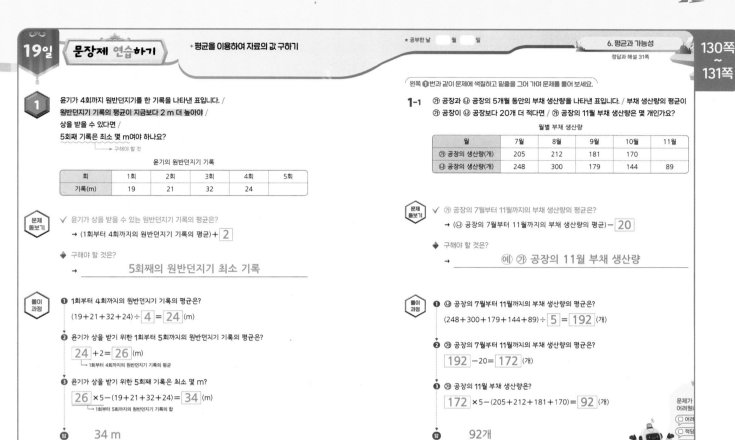

1 윤기가 4회까지 원반던지기를 한 기록을 나타낸 표입니다. / 원반던지기 기록의 평균이 지금보다 2 m 더 높아야 / 상을 받을 수 있다면 / 5회째 기록은 최소 몇 m여야 하나요?
→ 구해야 할 것

윤기의 원반던지기 기록

회	1회	2회	3회	4회	5회
기록(m)	19	21	32	24	

문제 돋보기
✔ 윤기가 상을 받을 수 있는 원반던지기 기록의 평균은?
→ (1회부터 4회까지의 원반던지기 기록의 평균) + 2

◆ 구해야 할 것은?
→ 5회째의 원반던지기 최소 기록

풀이 과정
❶ 1회부터 4회까지의 원반던지기 기록의 평균은?
(19+21+32+24) ÷ 4 = 24 (m)

❷ 윤기가 상을 받기 위한 1회부터 5회까지의 원반던지기 기록의 평균은?
24 +2 = 26 (m)
└ 1회부터 4회까지의 원반던지기 기록의 평균

❸ 윤기가 상을 받기 위한 5회째 기록은 최소 몇 m?
26 ×5-(19+21+32+24) = 34 (m)
└ 1회부터 5회까지의 원반던지기 기록의 합

답 34 m

왼쪽 ❶번과 같이 문제에 색칠하고 밑줄을 그어 가며 문제를 풀어 보세요.

1-1 ㉮ 공장과 ㉯ 공장의 5개월 동안의 부채 생산량을 나타낸 표입니다. / 부채 생산량의 평균이 ㉮ 공장이 ㉯ 공장보다 20개 더 적다면 / ㉮ 공장의 11월 부채 생산량은 몇 개인가요?

월별 부채 생산량

월	7월	8월	9월	10월	11월
㉮ 공장의 생산량(개)	205	212	181	170	
㉯ 공장의 생산량(개)	248	300	179	144	89

문제 돋보기
✔ ㉯ 공장의 7월부터 11월까지의 부채 생산량의 평균은?
→ (㉯ 공장의 7월부터 11월까지의 부채 생산량의 평균) − 20

◆ 구해야 할 것은?
예) ㉮ 공장의 11월 부채 생산량

풀이 과정
❶ ㉯ 공장의 7월부터 11월까지의 부채 생산량의 평균은?
(248+300+179+144+89) ÷ 5 = 192 (개)

❷ ㉮ 공장의 7월부터 11월까지의 부채 생산량의 평균은?
192 −20 = 172 (개)

❸ ㉮ 공장의 11월 부채 생산량은?
172 ×5-(205+212+181+170) = 92 (개)

답 92개

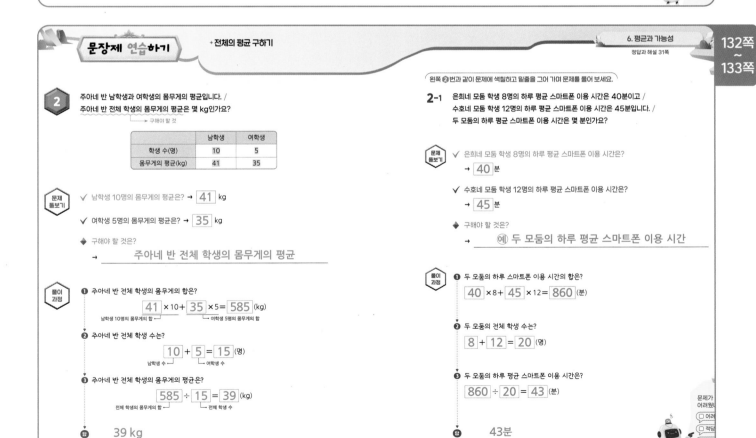

2 주아네 반 남학생과 여학생의 몸무게의 평균입니다. / 주아네 반 전체 학생의 몸무게의 평균은 몇 kg인가요?
→ 구해야 할 것

	남학생	여학생
학생 수(명)	10	5
몸무게의 평균(kg)	41	35

문제 돋보기
✔ 남학생 10명의 몸무게의 평균은? → 41 kg
✔ 여학생 5명의 몸무게의 평균은? → 35 kg

◆ 구해야 할 것은?
→ 주아네 반 전체 학생의 몸무게의 평균

풀이 과정
❶ 주아네 반 전체 학생의 몸무게의 합은?
41 ×10+ 35 ×5 = 585 (kg)
└ 남학생 10명의 몸무게의 합 └ 여학생 5명의 몸무게의 합

❷ 주아네 반 전체 학생 수는?
10 + 5 = 15 (명)
└ 남학생 수 └ 여학생 수

❸ 주아네 반 전체 학생의 몸무게의 평균은?
585 ÷ 15 = 39 (kg)
└ 전체 학생의 몸무게의 합 └ 전체 학생 수

답 39 kg

왼쪽 ❷번과 같이 문제에 색칠하고 밑줄을 그어 가며 문제를 풀어 보세요.

2-1 은희네 모둠 학생 8명의 하루 평균 스마트폰 이용 시간은 40분이고 / 수호네 모둠 학생 12명의 하루 평균 스마트폰 이용 시간은 45분입니다. / 두 모둠의 하루 평균 스마트폰 이용 시간은 몇 분인가요?

문제 돋보기
✔ 은희네 모둠 학생 8명의 하루 평균 스마트폰 이용 시간은?
→ 40 분
✔ 수호네 모둠 학생 12명의 하루 평균 스마트폰 이용 시간은?
→ 45 분

◆ 구해야 할 것은?
→ 예) 두 모둠의 하루 평균 스마트폰 이용 시간

풀이 과정
❶ 두 모둠의 하루 스마트폰 이용 시간의 합은?
40 ×8+ 45 ×12 = 860 (분)

❷ 두 모둠의 전체 학생 수는?
8 + 12 = 20 (명)

❸ 두 모둠의 하루 평균 스마트폰 이용 시간은?
860 ÷ 20 = 43 (분)

답 43분

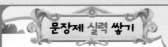

문제를 읽고 '연습하기'에서 했던 것처럼 밑줄을 그어 가며 문제를 풀어 보세요.

1 오른쪽은 경서가 4회까지 제기차기를 한 기록을 나타낸 표입니다. 제기차기 기록의 평균이 지금보다 1개 더 많아야 대표 선수가 될 수 있다면 5회째 기록은 최소 몇 개여야 하나요?

경서의 제기차기 기록

회	1회	2회	3회	4회	5회
기록(개)	10	16	14	12	

❶ 1회부터 4회까지의 제기차기 기록의 평균은?
예 (10+16+14+12)÷4=13(개)

❷ 경서가 대표 선수가 되기 위한 1회부터 5회까지의 제기차기 기록의 평균은?
예 13+1=14(개)

❸ 경서가 대표 선수가 되기 위한 5회째 기록은 최소 몇 개?
예 14×5-(10+16+14+12)=70-52=18(개)

답 __18개__

2 오른쪽은 유준이네 반 남학생과 여학생의 팔굽혀펴기 기록의 평균입니다. 유준이네 반 전체 학생의 팔굽혀펴기 기록의 평균은 몇 회인가요?

	남학생	여학생
학생 수(명)	12	10
평균(회)	29	18

❶ 유준이네 반 전체 학생의 팔굽혀펴기 기록의 합은?
예 29×12+18×10=348+180=528(회)

❷ 유준이네 반 전체 학생 수는?
예 12+10=22(명)

❸ 유준이네 반 전체 학생의 팔굽혀펴기 기록의 평균은?
예 528÷22=24(회)

답 __24회__

3 ⑦ 수영장과 ⑭ 수영장을 5개월 동안 이용한 회원 수를 나타낸 표입니다. 회원 수의 평균이 ⑭ 수영장이 ⑦ 수영장보다 5명 더 적다면 ⑭ 수영장의 12월 회원 수는 몇 명인가요?

월별 회원 수

월	8월	9월	10월	11월	12월
⑦ 수영장의 회원 수(명)	266	259	200	182	178
⑭ 수영장의 회원 수(명)	245	215	209	199	

❶ ⑦ 수영장의 8월부터 12월까지의 회원 수의 평균은?
예 (266+259+200+182+178)÷5=217(명)

❷ ⑭ 수영장의 8월부터 12월까지의 회원 수의 평균은?
예 217-5=212(명)

❸ ⑭ 수영장의 12월 회원 수는?
예 212×5-(245+215+209+199)=1060-868=192(명)

답 __192명__

4 수빈이네 반 남학생 9명의 앉은키의 평균은 72 cm이고 여학생 6명의 앉은키의 평균은 67 cm입니다. 수빈이네 반 전체 학생의 앉은키의 평균은 몇 cm인가요?

❶ 수빈이네 반 전체 학생의 앉은키의 합은?
예 72×9+67×6=648+402=1050(cm)

❷ 수빈이네 반 전체 학생 수는?
예 9+6=15(명)

❸ 수빈이네 반 전체 학생의 앉은키의 평균은?
예 1050÷15=70(cm)

답 __70 cm__

---

1 [124쪽] 일이 일어날 가능성 비교하기

검은색 바둑돌 3개가 들어 있는 상자에서 바둑돌 1개를 꺼낼 때 일이 일어날 가능성이 더 높은 것의 기호를 써 보세요.

⊙ 꺼낸 바둑돌이 흰색일 가능성
ⓛ 꺼낸 바둑돌이 검은색일 가능성

풀이 예 ⊙ 꺼낸 바둑돌이 흰색인 경우는 없으므로 가능성은 '불가능하다'입니다.
ⓛ 꺼낸 바둑돌이 검은색인 경우는 검은색 바둑돌만 있으므로 가능성은 '확실하다'입니다.
따라서 일이 일어날 가능성이 더 높은 것은 ⓛ입니다.

답 ⓛ

2 [124쪽] 일이 일어날 가능성 비교하기

100원짜리 동전 4개가 들어 있는 주머니에서 손에 잡히는 대로 동전을 1개 이상 꺼낼 때 일이 일어날 가능성이 더 낮은 것의 기호를 써 보세요.

⊙ 꺼낸 동전의 개수가 짝수일 가능성
ⓛ 꺼낸 동전이 50원짜리 동전일 가능성

풀이 예 ⊙ 꺼낸 동전의 개수가 짝수인 경우는 2개, 4개이므로 가능성은 '반반이다'입니다.
ⓛ 꺼낸 동전이 50원짜리 동전인 경우는 없으므로 가능성은 '불가능하다'입니다.
따라서 일이 일어날 가능성이 더 낮은 것은 ⓛ입니다.

답 ⓛ

3 [126쪽] 평균 비교하기

혜성이의 오래 매달리기 기록은 17초, 13초, 21초이고 지윤이의 오래 매달리기 기록은 20초, 16초, 18초입니다. 두 사람 중 오래 매달리기 기록의 평균이 더 낮은 사람은 누구인가요?

풀이 예 혜성이의 오래 매달리기 기록의 평균은 (17+13+21)÷3=17(초)이고
지윤이의 오래 매달리기 기록의 평균은 (20+16+18)÷3=18(초)입니다.
⇨ 17<18이므로 오래 매달리기 기록의 평균이 더 낮은 사람은 혜성입니다.

답 혜성

4 [130쪽] 평균을 이용하여 자료의 값 구하기

준모가 3회까지 멀리뛰기를 한 기록을 나타낸 표입니다. 멀리뛰기 기록의 평균이 지금보다 높으려면 4회째 기록은 최소 몇 cm보다 멀리 뛰어야 하나요?

준모의 멀리뛰기 기록

회	1회	2회	3회	4회
기록(cm)	103	92	96	

풀이 예 1회부터 3회까지의 멀리뛰기 기록의 평균은
(103+92+96)÷3=97(cm)입니다.
1회부터 3회까지의 멀리뛰기 기록의 평균보다 높으려면 4회째 기록은
최소 97 cm보다 멀리 뛰어야 합니다.

답 97 cm

5 [132쪽] 전체의 평균 구하기

시윤이와 도현이의 키의 평균은 154 cm이고 민서와 채원이의 키의 평균은 148 cm입니다. 4명의 키의 평균은 몇 cm인가요?

풀이 예 4명의 키의 합은 154×2+148×2=308+296=604(cm)입니다.
따라서 4명의 키의 평균은 604÷4=151(cm)입니다.

답 151 cm

6 [126쪽] 평균 비교하기

아름이네 모둠과 지후네 모둠이 방학 동안 읽은 책 수를 나타낸 표입니다. 두 모둠 중 읽은 책 수의 평균이 더 많은 모둠은 어느 모둠인가요?

아름이네 모둠이 읽은 책 수

이름	아름	도윤	현우
책 수(권)	8	6	10

지후네 모둠이 읽은 책 수

이름	지후	서진	병재	다솜
책 수(권)	9	10	5	4

풀이 예 아름이네 모둠이 읽은 책 수의 평균은 (8+6+10)÷3=8(권)이고
지후네 모둠이 읽은 책 수의 평균은 (9+10+5+4)÷4=7(권)입니다.
⇨ 8>7이므로 읽은 책 수의 평균이 더 많은 모둠은 아름이네 모둠입니다.

답 아름이네 모둠

7 132쪽 전체의 평균 구하기

선예네 반 남학생과 여학생의 공 던지기 기록의 평균입니다. 선예네 반 전체 학생의 공 던지기 기록의 평균은 몇 m인가요?

남학생 10명	31 m
여학생 6명	23 m

풀이 예 선예네 반 전체 학생의 공 던지기 기록의 합은
31×10+23×6=310+138=448(m)이고
선예네 반 전체 학생 수는 10+6=16(명)입니다.
따라서 선예네 반 전체 학생의 공 던지기 기록의 평균은
448÷16=28(m)입니다.

답 **28 m**

8 130쪽 평균을 이용하여 자료의 값 구하기

㉮ 대리점과 ㉯ 대리점의 5개월 동안의 자전거 대여량을 나타낸 표입니다. 자전거 대여량의 평균이 ㉮ 대리점이 ㉯ 대리점보다 8대 더 적다면 ㉮ 대리점의 6월 자전거 대여량은 몇 대인가요?

월별 자전거 대여량

월	2월	3월	4월	5월	6월
㉮ 대리점의 대여량(대)	144	131	172	165	
㉯ 대리점의 대여량(대)	155	164	169	162	150

풀이 예 ㉯ 대리점의 2월부터 6월까지의 자전거 대여량의 평균은
(155+164+169+162+150)÷5=160(대)이고
㉮ 대리점의 2월부터 6월까지의 자전거 대여량의 평균은 160−8=152(대)입니다.
따라서 ㉮ 대리점의 6월 자전거 대여량은
152×5−(144+131+172+165)=760−612=148(대)입니다.

답 **148대**

9 130쪽 평균을 이용하여 자료의 값 구하기

농구 동아리 회원의 나이를 나타낸 표입니다. 주희가 새로 들어와서 동아리 회원의 나이의 평균이 한 살 줄었다면 주희는 민아보다 몇 살 더 적은가요?

농구 동아리 회원의 나이

이름	하연	민아	시은	솔비
나이(살)	14	18	16	12

풀이 예 주희가 들어오기 전 회원 4명의 나이의 평균은
(14+18+16+12)÷4=15(살)이고
주희가 들어왔을 때 나이의 평균은 15−1=14(살)입니다.
따라서 주희의 나이는 14×5−(14+18+16+12)=70−60=10(살)이고
민아의 나이는 18살이므로 주희는 민아보다 18−10=8(살) 더 적습니다.

답 **8살**

10 도전 문제 132쪽 전체의 평균 구하기

성우가 월요일부터 수요일까지 자전거를 탄 시간의 평균은 54분이고, 목요일부터 일요일까지 자전거를 탄 시간의 평균은 1시간 15분입니다. 성우가 월요일부터 일요일까지 자전거를 탄 시간의 평균은 몇 시간 몇 분인가요?

❶ 월요일부터 수요일까지 자전거를 탄 시간의 합은?
예 월요일부터 수요일까지는 3일이므로 자전거를 탄 시간의 합은
54×3=162(분)입니다.

❷ 목요일부터 일요일까지 자전거를 탄 시간의 합은?
예 1시간 15분=75분이고 목요일부터 일요일까지는 4일이므로
자전거를 탄 시간의 합은 75×4=300(분)입니다.

❸ 성우가 월요일부터 일요일까지 자전거를 탄 시간의 평균은 몇 시간 몇 분?
예 (월요일부터 일요일까지 자전거를 탄 시간의 합)÷7
=(162+300)÷7=66(분) ⇨ 1시간 6분
따라서 월요일부터 일요일까지 자전거를 탄 시간의 평균은
1시간 6분입니다.

답 **1시간 6분**

❶ 계산 결과를 기약분수나 대분수로 나타내지 않아도 정답으로 인정합니다.

1 학생들에게 간식으로 삶은 달걀을 나누어 주려고 하는 데 달걀이 85개 필요합니다. 달걀은 10개씩 묶음으로만 판매하고, 한 묶음에 3000원이라고 합니다. 달걀을 사는 데 필요한 금액은 최소 얼마인가요?

(풀이) (예) 달걀은 10개씩 묶음으로만 판매하므로 85를 올림하여 십의 자리까지 나타내면 90입니다.
달걀을 90개 사야 하므로 적어도 10개씩 9묶음을 사야 합니다.
따라서 달걀을 사는 데 필요한 금액은 최소
$3000 \times 9 = 27000$(원)입니다.

(답) 27000원

2 굵기가 일정한 나무막대 1 m의 무게는 3.26 kg입니다. 이 나무막대 150 cm의 무게는 몇 kg인가요?

(풀이) (예) 150 cm=1.5 m이므로 나무막대 150 cm의 무게는
$3.26 \times 1.5 = 4.89$(kg)입니다.

(답) 4.89 kg

3 시우네 집 냉장고에 주스가 $1\frac{3}{4}$ L 있었습니다. 시우가 전체 주스의 $\frac{3}{5}$을 마셨다면 마시고 남은 주스는 몇 L인가요?

(풀이) (예) 전체를 1이라 하면 시우가 마시고 남은 주스는 전체 주스의 $1 - \frac{3}{5} = \frac{2}{5}$입니다.
따라서 시우가 마시고 남은 주스는 $1\frac{3}{4} \times \frac{2}{5} = \frac{7}{4} \times \frac{\overset{1}{2}}{5} = \frac{7}{10}$(L)입니다.

(답) $\frac{7}{10}$ L

4 정육면체의 전개도입니다. 정육면체의 전개도의 둘레는 몇 cm인가요?

24 cm

(풀이) (예) 정육면체는 모서리의 길이가 모두 같으므로
한 모서리의 길이는 $24 \div 3 = 8$(cm)입니다.
정육면체의 전개도의 둘레는 한 모서리의 길이의 14배이므로
전개도의 둘레는 $8 \times 14 = 112$(cm)입니다.

(답) 112 cm

5 삼각형 ㄱㄴㄷ은 선분 ㄴㄹ을 대칭축으로 하는 선대칭도형입니다. 삼각형 ㄱㄴㄷ의 넓이는 몇 cm²인가요?

9 cm
4 cm

(풀이) (예) 선대칭도형에서 대응변의 길이가 서로 같으므로
(선분 ㄷㄹ)=(선분 ㄱㄹ)=9 cm이고
(변 ㄱㄷ)=(선분 ㄱㄹ)+(선분 ㄷㄹ)=9+9=18(cm)입니다.
따라서 삼각형 ㄱㄴㄷ의 밑변의 길이는 18 cm이고
높이는 4 cm이므로 넓이는 $18 \times 4 \div 2 = 36$(cm²)입니다.

(답) 36 cm²

6 다혜네 학교 5학년 학생들이 정원이 10명인 엘리베이터를 모두 타려면 엘리베이터는 적어도 9번 운행해야 합니다. 다혜네 학교 5학년 학생은 몇 명 이상 몇 명 이하인가요?

(풀이) (예) 학생이 가장 적을 때의 학생 수는 $10 \times 8 + 1 = 81$(명)이고,
학생이 가장 많을 때의 학생 수는 $10 \times 9 = 90$(명)입니다.
따라서 다혜네 학교 5학년 학생은 81명 이상 90명 이하입니다.

(답) 81명 이상 90명 이하

7 수 카드 9, 3, 7, 2를 한 번씩 모두 사용하여 다음과 같은 곱셈식을 만들려고 합니다. 곱이 가장 클 때의 값을 구해 보세요.

(풀이) □.□ × □.□

(예) 곱이 가장 크도록 곱셈식을 만들려면 두 수의 자연수 부분에 각각 가장 큰 수와 둘째로 큰 수를 놓아야 합니다.
9>7>3>2이므로 자연수 부분에 놓아야 하는 수는 9, 7입니다.
곱해야 하는 두 수는 9.3과 7.2 또는 9.2와 7.3입니다.
$9.3 \times 7.2 = 66.96$, $9.2 \times 7.3 = 67.16$
⇨ 67.16>66.96이므로 곱이 가장 클 때의 값은 67.16입니다.

(답) 67.16

8 길이가 $3\frac{5}{6}$ cm인 색 테이프 3장을 $\frac{3}{10}$ cm씩 겹치게 한 줄로 이어 붙였습니다. 이어 붙인 색 테이프의 전체 길이는 몇 cm인가요?

(풀이) (예) (색 테이프 3장의 길이의 합)=$3\frac{5}{6} \times 3 = \frac{23}{6} \times \overset{1}{3} = \frac{23}{2} = 11\frac{1}{2}$(cm)

색 테이프 3장을 이어 붙이면 겹쳐진 부분은 3−1=2(군데)이므로
색 테이프가 겹쳐진 부분의 길이의 합은 $\frac{3}{10} \times \overset{1}{2} = \frac{3}{5}$(cm)입니다.

따라서 이어 붙인 색 테이프의 전체 길이는
$11\frac{1}{2} - \frac{3}{5} = 11\frac{5}{10} - \frac{6}{10} = 10\frac{15}{10} - \frac{6}{10}$
$= 10\frac{9}{10}$(cm)입니다.

(답) $10\frac{9}{10}$ cm

9 어느 박물관에 4일 동안 방문한 관람객 수를 나타낸 표입니다. 관람객 수의 평균이 지금보다 3명 더 많아야 야외 공연이 열린다면 금요일의 관람객 수는 최소 몇 명이어야 하나요?

요일별 관람객 수

요일	월	화	수	목	금
관람객 수(명)	45	75	100	84	

(풀이) (예) 월요일부터 목요일까지 관람객 수의 평균은
$(45+75+100+84) \div 4 = 76$(명)이고,
야외 공연이 열리기 위한 월요일부터 금요일까지 관람객 수의 평균은
$76+3=79$(명)입니다.
따라서 금요일의 관람객 수는
최소 $79 \times 5 - (45+75+100+84) = 395 - 304 = 91$(명)이어야 합니다.

(답) 91명

10 다음 도형은 점 ㅈ을 대칭의 중심으로 하는 점대칭도형입니다. 이 도형의 둘레가 70 cm일 때 변 ㄷㄹ은 몇 cm인가요?

10 cm
10 cm
6 cm
14 cm

(풀이) (예) 점대칭도형의 각각의 대응점에서 대칭의 중심까지의 거리가 서로 같으므로
(선분 ㅇㅈ)=(선분 ㄹㅈ)=6 cm이고
(변 ㄱㅇ)=(선분 ㄱㅈ)−(선분 ㅇㅈ)=10−6=4(cm)입니다.
점대칭도형에서 대응변의 길이가 서로 같으므로
(변 ㄱㄴ)=(변 ㅁㅂ)=14 cm이고 변 ㄷㄹ의 길이를 ■ cm라 하면
$(4+14+10+■) \times 2 = 70$,
$4+14+10+■=35$, ■=7입니다.

(답) 7 cm

1 도로의 한쪽에 나무를 3.15 m 간격으로 처음부터 끝까지 심었습니다. 심은 나무가 15그루일 때 도로의 길이는 몇 m인가요? (단, 나무의 두께는 생각하지 않습니다.)

풀이 예 나무 사이의 간격의 수는 나무의 수보다 1만큼 더 작으므로
15－1＝14(군데)입니다.
따라서 도로의 길이는 3.15×14＝44.1(m)입니다.

답 　44.1 m

2 승원이네 밭에서 고구마를 468 kg 캤습니다. 이 고구마를 10 kg씩 상자에 담아서 한 상자에 20000원씩 팔려고 합니다. 상자에 담은 고구마를 모두 판다면 받을 수 있는 금액은 최대 얼마인가요?

풀이 예 고구마를 10 kg씩 상자에 담아서 팔아야 하므로
468을 버림하여 십의 자리까지 나타내면 460입니다.
고구마 460 kg을 10 kg씩 상자에 담으면 최대 46상자를 팔 수 있습니다.
따라서 고구마를 팔아서 받을 수 있는 금액은
최대 20000×46＝920000(원)입니다.

답 　920000원

3 떨어진 높이의 $\frac{1}{10}$ 만큼 튀어 오르는 공이 있습니다. 이 공을 $4\frac{4}{9}$ m 높이에서 떨어뜨렸을 때 공이 두 번째로 튀어 오르는 높이는 몇 m인가요?

풀이 예 공이 첫 번째로 튀어 오르는 높이는 $4\frac{4}{9} \times \frac{1}{10} = \frac{\overset{4}{\cancel{40}}}{9} \times \frac{1}{\cancel{10}} = \frac{4}{9}$(m)입니다.

따라서 공이 두 번째로 튀어 오르는 높이는 $\frac{\overset{2}{\cancel{4}}}{9} \times \frac{1}{\cancel{10}} = \frac{2}{45}$(m)입니다.

답 　$\frac{2}{45}$ m

4 다음과 같이 직사각형 모양의 종이를 접었습니다. 각 ㄴㅁㄱ의 크기는 몇 도인가요?

풀이 예 삼각형 ㄱㄹㄷ과 삼각형 ㄱㅂㄷ은 서로 합동이므로
(각 ㄹㄱㄷ)＝(각 ㅂㄱㄷ)＝25°입니다.
직사각형의 한 각의 크기는 90°이므로 (각 ㄴㄱㄹ)＝90°이고
(각 ㄴㄱㅁ)＝90°－25°－25°＝40°입니다.
삼각형 ㄱㄴㅁ에서 (각 ㄱㄴㅁ)＝90°이므로
(각 ㄴㅁㄱ)＝180°－40°－90°＝50°입니다.

답 　50°

5 직육면체의 전개도를 접었을 때 모든 모서리의 길이의 합은 몇 cm인가요?

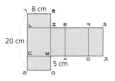

풀이 예 (선분 ㄱㄴ)＝(선분 ㄷㄹ)＝(선분 ㅂㅁ)＝5 cm이므로
(선분 ㄴㄷ)＝(선분 ㄱㄹ)－(선분 ㄱㄴ)－(선분 ㄷㄹ)＝20－5－5＝10(cm)입니다.
직육면체의 전개도를 접었을 때 길이가 서로 다른 모서리는 8 cm, 10 cm, 5 cm입니다.
따라서 직육면체의 모든 모서리의 길이의 합은 (8＋10＋5)×4＝92(cm)입니다.

답 　92 cm

---

6 1시간에 병재는 $9\frac{2}{5}$ km를 가는 바르기로 달리고, 태연이는 $6\frac{9}{10}$ km를 가는 바르기로 달렸습니다. 두 사람이 같은 곳에서 반대 방향으로 동시에 출발했다면 1시간 15분 후에 두 사람 사이의 거리는 몇 km인가요?

풀이 예 1시간 후에 두 사람 사이의 거리는 $9\frac{2}{5}+6\frac{9}{10}=9\frac{4}{10}+6\frac{9}{10}=15\frac{13}{10}=16\frac{3}{10}$(km)입니다.

1시간 15분＝$1\frac{\overset{1}{\cancel{15}}}{\underset{4}{\cancel{60}}}$시간＝$1\frac{1}{4}$시간이므로

1시간 15분 후에 두 사람 사이의 거리는 $16\frac{3}{10} \times 1\frac{1}{4} = \frac{163}{\underset{2}{\cancel{10}}} \times \frac{\overset{1}{\cancel{5}}}{4} = \frac{163}{8} = 20\frac{3}{8}$(km)입니다.

답 　$20\frac{3}{8}$ km

7 조건을 만족하는 자연수는 모두 몇 개인가요?

(조건 1) 85 초과 92 이하인 수입니다.
(조건 2) 올림하여 십의 자리까지 나타내면 90이 되는 수입니다.

풀이 예 85보다 크고 92와 같거나 작은 수는 86, 87, 88, 89, 90, 91, 92입니다.
구한 수 중에서 올림하여 십의 자리까지 나타내면 90이 되는 수는
86, 87, 88, 89, 90으로 모두 5개입니다.

답 　5개

8 가로가 6.8 m, 세로가 3.5 m인 직사각형 모양의 밭이 있습니다. 이 밭의 가로를 0.5배, 세로를 1.6배 하여 새로운 밭을 만들었을 때 새로운 밭의 넓이는 몇 m²인가요?

풀이 예 새로운 밭의 가로는 6.8×0.5＝3.4(m)이고
새로운 밭의 세로는 3.5×1.6＝5.6(m)입니다.
따라서 새로운 밭의 넓이는 3.4×5.6＝19.04(m²)입니다.

답 　19.04 m²

9 예나네 모둠과 미희네 모둠의 오래 매달리기 기록을 나타낸 표입니다. 두 모둠 중 오래 매달리기 기록의 평균이 더 높은 모둠은 어느 모둠인가요?

예나네 모둠의 오래 매달리기 기록

이름	예나	소연	현서
기록(초)	27	22	26

미희네 모둠의 오래 매달리기 기록

이름	미희	영지	동건	준호
기록(초)	29	18	21	28

풀이 예 예나네 모둠의 오래 매달리기 기록의 평균은
(27＋22＋26)÷3＝25(초)이고
미희네 모둠의 오래 매달리기 기록의 평균은
(29＋18＋21＋28)÷4＝24(초)입니다.
25＞24이므로 오래 매달리기 기록의 평균이 더 높은 모둠은
예나네 모둠입니다.

답 　예나네 모둠

10 하연이네 반 남학생 12명의 키의 평균은 145 cm이고 여학생 8명의 키의 평균은 140 cm입니다. 하연이네 반 전체 학생의 키의 평균은 몇 cm인가요?

풀이 예 하연이네 반 전체 학생의 키의 합은
145×12＋140×8＝1740＋1120＝2860(cm)이고
하연이네 반 전체 학생 수는 12＋8＝20(명)입니다.
따라서 하연이네 반 전체 학생의 키의 평균은
2860÷20＝143(cm)입니다.

답 　143 cm

 실력 평가 **3회**

+ 공부한 날 [ ] 월 [ ] 일

1 길이가 10 cm인 양초가 있습니다. 이 양초에 불을 붙이면 1분에 0.65 cm씩 일정한 바르기로 탄다고 합니다. 이 양초가 7분 동안 탔다면 타고 남은 양초의 길이는 몇 cm인가요?

(풀이) 예 7분 동안 탄 양초의 길이는 0.65×7=4.55(cm)입니다.
따라서 타고 남은 양초의 길이는
10−4.55=5.45(cm)입니다.

답 _____5.45 cm_____

2 모든 모서리의 길이의 합이 168 cm인 정육면체가 있습니다. 정육면체의 한 면의 넓이는 몇 cm²인가요?

(풀이) 예 정육면체에는 길이가 같은 모서리가 12개 있으므로
한 모서리의 길이는 168÷12=14(cm)입니다.
따라서 정육면체의 한 면의 넓이는 14×14=196(cm²)입니다.

답 _____196 cm²_____

3 점대칭도형인 숫자를 한 번씩만 사용하여 세 자리 수를 만들려고 합니다. 만들 수 있는 수 중에서 가장 작은 수를 구해 보세요.

(풀이) 예 점대칭도형인 숫자를 찾으면 0, 5, 8입니다.
0<5<8이므로 작은 숫자부터 차례대로 백, 십, 일의 자리에 놓습니다.
이때 0은 백의 자리에 올 수 없으므로 만들 수 있는 가장 작은 세 자리 수는 508입니다.

답 _____508_____

4 1부터 8까지의 수가 쓰인 수 카드가 8장 있습니다. 수 카드 중에서 한 장을 뽑을 때 일이 일어날 가능성이 더 높은 것의 기호를 써 보세요.

> ㉠ 뽑은 수 카드의 수가 짝수일 가능성
> ㉡ 뽑은 수 카드의 수가 10일 가능성

(풀이) 예 ㉠ 뽑은 수 카드의 수가 짝수인 경우는 2, 4, 6, 8이므로 가능성은 '반반이다'입니다.
㉡ 뽑은 수 카드의 수가 10인 경우는 없으므로 가능성은 '불가능하다'입니다.
따라서 일이 일어날 가능성이 더 높은 것은 ㉠입니다.

답 _____㉠_____

5 소미가 딴 토마토를 모두 상자에 담으려면 20개까지 담을 수 있는 상자가 적어도 10개 필요합니다. 소미가 딴 토마토는 몇 개 이상 몇 개 이하인가요?

(풀이) 예 토마토가 가장 적을 때의 토마토의 수는 20×9+1=181(개)이고,
토마토가 가장 많을 때의 토마토의 수는 20×10=200(개)입니다.
따라서 소미가 딴 토마토는 181개 이상 200개 이하입니다.

답 _____181개 이상 200개 이하_____

6 찬욱이가 가지고 있던 리본의 $\frac{4}{5}$를 사용했더니 $20\frac{7}{10}$ cm가 남았습니다. 찬욱이가 처음에 가지고 있던 리본은 몇 cm인가요?

(풀이) 예 전체를 1이라 하면 찬욱이가 사용하고 남은 리본은
처음에 가지고 있던 리본의 $1-\frac{4}{5}=\frac{1}{5}$입니다.
처음에 가지고 있던 리본을 ■ cm라 하면 ■의 $\frac{1}{5}$이 $20\frac{7}{10}$이므로
■는 $20\frac{7}{10}×5=\frac{207}{10}×\overset{1}{\underset{2}{5}}=\frac{207}{2}=103\frac{1}{2}$(cm)입니다.
따라서 찬욱이가 처음에 가지고 있던 리본은 $103\frac{1}{2}$ cm입니다.

답 _____$103\frac{1}{2}$ cm_____

 실력 평가

+ 맞은 개수 [ ] /10개   + 걸린 시간 [ ] /40분

7 다음 도형은 직선 ㅅㅇ을 대칭축으로 하는 선대칭도형입니다. 이 선대칭도형의 넓이는 몇 cm²인가요?

(풀이) 예 선대칭도형에서 대칭축은 대응점을 이은 선분을 둘로 똑같이 나누므로
(선분 ㄹㅁ)=(선분 ㄷㅁ)÷2=18÷2=9(cm)입니다.
사다리꼴 ㄱㄹㅁㅂ의 윗변의 길이는 10 cm, 아랫변의 길이는 6 cm,
높이는 9 cm이므로 넓이는 (10+6)×9÷2=72(cm²)입니다.
사다리꼴 ㄱㄹㅁㅂ과 사다리꼴 ㄱㄹㅁㄷ은 서로 합동이므로
선대칭도형의 넓이는 (사다리꼴 ㄱㄹㅁㅂ의 넓이)×2=72×2=144(cm²)입니다.

답 _____144 cm²_____

8 하루에 $3\frac{9}{10}$분씩 느려지는 시계가 있습니다. 이 시계를 오늘 오전 6시에 정확하게 맞추었다면 5일 후 오전 6시에 이 시계가 가리키는 시각은 오전 몇 시 몇 분 몇 초 인가요?

(풀이) 예 5일 동안 느려지는 시간은 $3\frac{9}{10}×5=\frac{39}{10}×\overset{1}{\underset{2}{5}}=\frac{39}{2}=19\frac{1}{2}$(분)입니다.
$19\frac{1}{2}$분=$19\frac{30}{60}$분=19분 30초이므로
5일 후 오전 6시에 이 시계가 가리키는 시각은
오전 6시−19분 30초=오전 5시 40분 30초입니다.

답 _____오전 5시 40분 30초_____

9 0.7을 55번 곱했을 때 곱의 소수점 아래 끝자리 숫자를 구해 보세요.

> 0.7=0.7
> 0.7×0.7=0.49
> 0.7×0.7×0.7=0.343
> 0.7×0.7×0.7×0.7=0.2401
> 0.7×0.7×0.7×0.7×0.7=0.16807
> ⋮

(풀이) 예 0.7을 여러 번 곱했을 때 곱의 소수점 아래 끝자리 숫자는
7, 9, 3, 1이 반복됩니다.
55÷4=13…3이므로 0.7을 55번 곱했을 때
곱의 소수점 아래 끝자리 숫자는 반복되는 숫자 중에서
세 번째 숫자와 같은 3입니다.

답 _____3_____

10 다음과 같이 직육면체 모양의 상자를 끈으로 묶어 포장했습니다. 매듭을 묶는 데 사용한 끈의 길이가 20 cm일 때 상자를 포장하는 데 사용한 끈의 길이는 모두 몇 cm인가요?

(풀이) 예 묶은 끈의 길이 중 각 모서리와 길이가 같은 부분은
길이가 30 cm인 부분이 2군데, 길이가 18 cm인 부분이 2군데,
길이가 12 cm인 부분이 4군데입니다.
매듭을 제외하고 상자를 묶는 데 사용한 끈의 길이는
30×2+18×2+12×4=60+36+48=144(cm)이므로
상자를 포장하는 데 사용한 끈의 길이는 모두 144+20=164(cm)입니다.

답 _____164 cm_____

memo

왕관을 만들어요!

4단원

2단원

3단원

6단원

5단원

1단원

단원 마무리에서 오린
보석을 붙이고
왕관을 완성해 보세요!